CB004531

LISA BEVERE

Eu, MEU PAVIO CURTO e Deus

THOMAS NELSON
BRASIL®

Título original: *Be angry but don't blow it: keeping your passion without losing your cool.*

Todas as citações bíblicas foram extraídas da *Nova Versão Internacional* (NVI), da Biblica Inc., salvo indicação em contrário.

Os pontos de vista desta obra são de responsabilidade de seus autores e colaboradores diretos, não refletindo necessariamente a posição da Thomas Nelson Brasil, da HarperCollins Christian Publishing ou de suas equipes editoriais.

Tradução *Susana Klassen*
Preparação *Edson Nakashima*
Revisão *Shirley Lima* e *Pedro Marchi*
Diagramação *Sonia Peticov*
Capa e projeto gráfico *Gabê Almeida*

Equipe editorial
Diretor *Samuel Coto*
Coordenador *André Lodos*
Assistente *Lais Chagas*

Dados Internacionais de Catalogação na Publicação (CIP)
(BENITEZ Catalogação Ass. Editorial, MS, Brasil)

B467m Bevere, Lisa
1.ed. Eu, meu pavio curto e Deus: aprendendo a irar-se sem pecar/ Lisa Bevere; tradução Susana Klassen. – 1.ed. – Rio de Janeiro: Thomas Nelson Brasil, 2023.
240 p.; 13,5 x 20,8 cm.

Título original: *Be angry but don't blow it: keep your passion without losing your cool.*
ISBN 978-65-5689-619-9

1. Crescimento espiritual. 2. Cristianismo. 3. Ira – Aspectos religiosos – Cristianismo. 4. Relacionamentos – Aspectos religiosos I. Klassen, Susana. II. Título.

09-2023/69 CDD 230

Índice para catálogo sistemático:

1. Ira: Aspectos religiosos: Cristianismo 230

Aline Graziele Benitez – Bibliotecária - CRB-1/3129

Thomas Nelson Brasil é uma marca licenciada à Vida Melhor Editora LTDA.

Rua da Quitanda, 86, sala 601A — Centro
Rio de Janeiro — RJ — CEP 20091-005
Tel.: (21) 3175-1030
www.thomasnelson.com.br

Para quem magoou pessoas amadas e se arrependeu...
Nós temos a promessa de esperança e de um recomeço.

Meus agradecimentos às muitas mulheres cujo coração foi tocado por este livro.

"É a primeira vez que leio um livro que fala comigo de um modo tão claro e pessoal. Sempre tive dificuldade de lidar com a ira e busquei ajuda no aconselhamento a fim de perdoar outras pessoas por mágoas passadas. A abordagem deste livro, porém, é inteiramente nova."

"Uau! Você sabe como apresentar essa mensagem de modo verdadeiro, transparente e amoroso. Senti a presença de Deus enquanto lia este livro."

"Senti-me como a mulher junto ao poço, como se Deus estivesse falando diretamente comigo por meio de seu livro."

"Este livro é incrível! Finalmente entendo que há esperança para mim depois de uma infância marcada por abuso e abandono."

"Obrigada por ser tão transparente. Você ajudou a libertar muitos cativos... inclusive a mim!"

"Depois de ler este livro e aplicá-lo à minha vida, posso dizer que sou uma pessoa diferente. Esse texto me influenciou mais do que eu esperava."

"Hoje, posso dizer que perdoei todos que me magoaram. Houve uma grande cura. Muito obrigada por ser tão honesta e compartilhar sua vida!"

SUMÁRIO

1. JANELAS QUEBRADAS

O ano era 1988, e John e eu estávamos bem no meio de uma discussão acalorada. A propósito, tão acalorada que eu tinha parado de falar. Depois de fechar a boca com medo de que a situação fugisse ao controle, dei as costas para John e fui secar a louça freneticamente. Senti a temperatura subir enquanto minha respiração se tornava cada vez mais ofegante, algo parecido com o que havia acontecido quando entrei em trabalho de parto. Precisava manter o controle. Não podia permitir que a torrente escaldante de palavras enfurecidas jorrasse, de forma incontida, de meus lábios e afogasse meu marido, por mais que eu estivesse chateada com ele.

No entanto, John viu meu silêncio repentino de outra forma. Ele imaginou que eu estivesse fazendo a temida greve de silêncio. Por isso, tentou puxar assunto de várias maneiras. E, como eu não esbocei reação, ele recorreu à provocação.

E, de repente, a coisa toda funcionou. Olhei para o prato em minhas mãos. Era um prato de salada, inquebrável. E, como que em câmera lenta, voltei-me em um movimento parecido com o de atletas arremessadores de disco e lancei o prato. Não havia como voltar atrás. O prato já estava no ar, seguindo sua trajetória em direção à cabeça de meu marido. John se desviou dele e escapou de uma possível decapitação. O prato fez um arco, passou muito além do balcão da cozinha (onde John estava parado, estarrecido) e prosseguiu em um voo estável sobre toda a extensão da sala. *Para meu espanto, parecia estar ganhando velocidade.* Eu não sabia nem mesmo atirar um disco de *frisbee*! Como havia conseguido fazer um prato voar com tamanha perfeição?

O som de vidro se estilhaçando me trouxe de volta à realidade. Incrédula, fiquei olhando para a janela da sala, que agora era apenas uma moldura à qual se apegavam alguns cacos. A parte inferior, com a tela, estava intacta. O prato havia despedaçado a parte superior de vidro. Houve um momento de silêncio enquanto John e eu olhávamos, perplexos, para a janela.

John foi o primeiro a falar.

— Não acredito que você jogou um prato em mim.

Eu também não acreditava no que havia feito. Mas era verdade e não tinha como voltar atrás.

Com todo o cuidado, nós dois nos aproximamos da janela, sentindo o vento frio de inverno entrar em nosso apartamento, situado no segundo andar. Lá embaixo, na grama, havia um prato branco.

— Eu vou buscar — murmurei.

Calcei os sapatos e abri a porta com cuidado, na esperança de que os vizinhos não tivessem ouvido meu acesso de raiva. Senti o vento forte da Flórida no rosto e nos cabelos. Fui descendo as escadas bem devagar, olhando para ambos os lados, antes de chegar ao gramado na frente do prédio. O prato estava cercado de cacos de vidro da janela. Olhei para cima, pensando que John ou algum vizinho estivesse me observando, mas consegui ver apenas alguns reflexos do céu nublado. Removi os cacos de cima do prato e, segurando-o junto ao corpo, subi a toda velocidade a escada entre os dois prédios, que, agora, parecia mais um túnel de vento. Era como se o vento em si estivesse me acusando. Eu tinha consciência da verdade e recebi de bom grado sua condenação severa. Eu a merecia.

De volta ao apartamento, olhei para John.

— Peguei o prato... Não quebrou — observei e mostrei a ele como se fosse algum consolo.

— Você sabe que eu vou dizer a verdade, Lisa — falou meu marido, em voz baixa. — Vou ligar para o zelador e explicar que minha esposa atirou um prato em mim, que eu desviei e, então, o prato quebrou o vidro da janela.

Fiz que sim com a cabeça, passivamente. A raiva tinha passado e só restava a vergonha.

— Eu sei. Mas não vou estar aqui quando você falar com o zelador. Preciso sair para fazer compras. Aproveite para falar com ele enquanto eu estiver fora.

O silêncio soava pesado e desconcertante, em contraste com as palavras coléricas vociferadas apenas alguns momentos antes. Fiquei admirada com o fato de nosso filho de dois anos ter permanecido dormindo e não ter ouvido nada. Mais que depressa, fugi da cena do crime.

Sozinha no carro, deixei escapar um pesado suspiro de desalento. Quando virei a chave, cânticos de adoração que vinham do rádio preencheram o silêncio, mas eram palavras vazias, que nada tinham a ver comigo. Então, desliguei o rádio e deixei o silêncio me envolver novamente.

A RAIVA TINHA PASSADO E SÓ RESTAVA A VERGONHA.

Não queria algo que me confortasse ou consolasse. Queria a dura realidade. Saí do estacionamento e resolvi dar uma volta antes de ir ao supermercado. Preferia não correr o risco de encontrar o zelador do prédio. O que ele pensaria de mim? Aqui está a próxima Lizzie Borden, a assassina do machado.[1]

Decidi remoer a vergonha e a culpa como uma forma de castigo. Comecei a imaginar as piores consequências possíveis.

[1] Lizzie Borden foi acusada de assassinar seu pai e madrasta com um machado em 1892, em Fall River, Massachusetts, nos Estados Unidos. (N. E.)

Talvez o jornal trouxesse a seguinte manchete: "Esposa de pastor de jovens quebra a janela em prédio residencial". E se John fosse demitido por causa de meu comportamento? Ou pior ainda: e se isso se estendesse para além de mim e do John? E se a mídia aproveitasse essa oportunidade para criticar todos os cristãos de Orlando?

Não me sentia no direito de orar para que Deus, de alguma forma, interviesse em meu favor, com o fim de encobrir o que havia acontecido, mas talvez ele o fizesse em favor dos membros da comunidade cristã na cidade. Comecei a interceder por eles.

"Ó Deus, por amor à minha igreja, ao grupo de jovens, ao meu marido e a todos os cristãos de Orlando, peço que faça alguma coisa. Nada é difícil demais para o Senhor. Sei que não mereço essa intervenção; não aja por mim, mas por todas as outras pessoas!", supliquei repetidas vezes.

Eu estava verdadeiramente em pânico, com a mente cheia de imagens perturbadoras que poderiam tornar-se realidades terríveis. Imaginei como seria quando eu entrasse na igreja em meio a olhares de decepção e dedos apontados em minha direção. Fiquei pensando nos sussurros de espanto, bem como nos acenos de confirmação. "Sempre soube que Lisa tinha problemas com raiva... O Espírito mostrou para mim", diria uma mulher a outra. Talvez fosse necessário pedir perdão a toda a igreja. Mas eu temia que, mesmo assim, minha vergonha não se dissipasse. O que minhas novas amigas pensariam de mim? Com certeza, não falariam mais comigo. Imaginei os maridos delas advertindo-as, na privacidade de seus quartos, a manterem distância de mim. Afinal, a Bíblia diz que não devemos andar com pessoas que se enfurecem facilmente — que dirá, então, com uma esposa de pastor cheia de ira!

Lágrimas quentes começaram a escorrer pelo meu rosto. Estacionei o carro e procurei me recompor antes de entrar no supermercado. Por certo, não havia como escapar daquilo que eu fizera. Meu marido não mentiria, e eu não queria que ele o fizesse. Talvez não fosse matéria de primeira página do jornal de Orlando, mas alguns desdobramentos seriam inevitáveis. Conformei-me com isso e reconheci que merecia sofrer as consequências. Esperava apenas conseguir me recuperar quando tudo tivesse terminado.

Foi difícil fazer compras. Não conseguia me lembrar do que eu precisava. Percorri a esmo os corredores do supermercado. Nosso orçamento era tão apertado que eu não podia levar itens desnecessários ou que ainda tínhamos em casa. Arrependi-me de não ter feito uma lista. Era como se minha cabeça estivesse no meio de um nevoeiro. Consegui pegar algumas coisas que eu sabia que estavam faltando em casa e voltei para a solidão do carro. O sol estava se pondo. Talvez eu pudesse me esgueirar até o apartamento quando tudo estivesse escuro. Peguei o caminho de volta para casa e, ao chegar, passei um longo tempo no carro, observando se havia algum movimento em nosso prédio. Eram quase seis da tarde e eu me dei conta de que o zelador provavelmente já havia encerrado o expediente.

Peguei as sacolas de compras e subi as escadas. Bati à porta, vi que não estava trancada e entrei. De imediato, vi o pedaço de plástico que cobria o buraco da janela; movia-se para frente e para trás com o vento, como se estivesse respirando. Procurei John, temendo o que ele poderia contar, mas, ainda assim, me sentia pronta para ouvir.

— O que ele disse? — perguntei, um tanto hesitante.

— Das duas, uma: ou Deus ama muito você, ou você deve ter orado pra valer — respondeu John, mas com uma expressão séria.

— Mas o que aconteceu? — insisti.

— Como avisei a você, eu estava decidido a contar a verdade sobre o que tinha acontecido — observou John —, mas foi muito estranho. Quando o zelador chegou, Addison o recebeu na porta. O rapaz foi até o sofá e o afastou da janela. Perguntou o que havia acontecido e, depois, se curvou e levantou a mão. “Nem precisa responder", disse ele, segurando um carrinho de metal do nosso filho. "Eu também tenho um filho de dois anos. Vamos colocar outro vidro amanhã, sem custo." Comecei a falar, mas ele me interrompeu: "Não se preocupe... Essas coisas acontecem. Vou fechar com um plástico para não entrar nenhum inseto". E foi embora. Acho que estava com pressa de ir para casa.

Sentei-me, em choque. Será que Deus tinha feito isso por mim? Não. Era por todos os outros motivos. Qualquer que fosse a explicação, esse era o fim da história. Meu filho de dois anos levou a culpa pela janela quebrada. Comecei a sentir o peso da vergonha ser retirado de meus ombros. Não sabia se devia rir ou chorar de alívio. Nenhum de meus medos se havia concretizado.

Pedi perdão novamente a meu marido. Mas tenho de reconhecer que naquela noite, deitada na cama, perguntei-me por que Deus havia encoberto minha culpa se nem mesmo meu marido se mostrara disposto a fazê-lo. Afinal, John não devia ter me provocado. Eu não tinha o hábito de sair por aí quebrando janelas todos os dias. Tinha sido um episódio isolado. Deus havia me perdoado; do contrário, não teria resolvido a situação de um modo tão extraordinário. Eu não devia ter atirado o prato, mas John também não devia ter me levado a esse extremo. Segui essa linha de raciocínio até pegar no sono sob o cobertor da justiça e da justificação próprias — cobertor que eu havia tecido para mim. Meu arrependimento se havia evaporado. Eu precisaria ter mais cuidado no futuro... E John também.

Eu tinha racionalizado a situação a ponto de perder uma lição valiosa. Mais de um ano se passaria até que minha ira cobrasse um preço suficientemente alto para eu buscar o verdadeiro arrependimento.

Um grito por socorro

Talvez você nunca tenha, literalmente, estilhaçado o vidro de uma janela. No entanto, deixou um rastro de sonhos e relacionamentos despedaçados. O simples fato de você ter este livro em mãos significa que está em busca de equilíbrio. Você deseja ter uma vida fervorosa, mas também piedosa. Talvez você não dê vazão à sua fúria; talvez até mesmo a reprima. Ainda assim, ela é fonte de destruição — nesse caso, de autodestruição. Talvez todas as janelas de sua casa lhe pareçam estilhaçadas. Tijolos de raiva foram atirados e ventos gélidos sopraram e apagaram seu fervor e sua esperança. Tenho fé de que você pode encontrar a cura.

A IRA EM SI NÃO É ERRADA, MAS A RAIVA E A FÚRIA A INTENSIFICAM ATÉ ELA SE TORNAR DESTRUTIVA.

A ira em si não é errada, mas a raiva e a fúria a intensificam até ela se tornar destrutiva. É na sombra e na vergonha da destruição que clamamos por socorro. Peço a Deus que, de algum modo, você aprenda com meus erros e cresça em seus relacionamentos — primeiro com Deus e, depois, com as outras pessoas.

Pai celestial,

Eu me dirijo ao Senhor no precioso nome de Jesus. Restaure as janelas despedaçadas de minha vida. Tenho mais interesse na verdade do que nas aparências. Eu quero que a luz de sua Palavra brilhe em meu coração e me sonde! Quero a verdade no mais profundo de meu ser! Quero viver livre de culpa e vergonha! Senhor, instrua-me em seus caminhos para que eu ande neles. Derrame seu amor que cobre os pecados. Dê-me o poder de sua graça para que eu me sujeite às verdades que me libertarão e permitirão que o Senhor seja glorificado em todas as áreas de minha vida.

2. QUANDO VOCÊ FICAR IRADA, NÃO PEQUE

A primeira parte de Efésios 4:26 não traz nada de desafiador: *Fiquem irados* [NAA]. A maioria de nós não tem dificuldade de ficar irada. Acontece sem aviso. Alguém nos corta no trânsito, exclamamos algo sem pensar e não temos mais como apagar nossas palavras. Falaremos mais a esse respeito adiante. A princípio, esse versículo parece contraditório. É evidente que nos dá permissão para sentirmos ira. *Fiquem irados*. Não há, nem mesmo, uma condição, como: "Se for absolutamente necessário que fiquem irados... então, tudo bem". É apenas uma constatação: *fiquem irados*. O versículo parece validar a experiência de ira e garantir que haverá momentos em que ficaremos irados, mas também diz que, nessas horas, não devemos pecar.

A ira como emoção

Deus nos dá permissão para nos irarmos. Ele conhece a capacidade inata do ser humano de se irar e a compreende. É uma emoção, e ele a conhece. Podemos observá-la tanto no choro frustrado do bebê recém-nascido como no clamor do patriota por justiça. É ouvida e reconhecida nas lágrimas de pais aflitos com a morte de um filho e no tremor silencioso de um avô enlutado.

A ira é uma emoção humana tão válida quanto a alegria, a tristeza, a fé e o medo. *Fiquem irados*. Não é errado sentirmos ira. Até mesmo Deus fica irado; aliás, isso acontece com frequência. Ele se zangou repetidas vezes com seu povo escolhido. O Antigo Testamento registra centenas de referências à ira divina voltada contra Israel e outras nações.

Quando reprimimos uma emoção porque não a consideramos válida, cedo ou tarde voltamos a expressá-la de forma inadequada. Em contrapartida, quando uma emoção se manifesta sem comedimento, não tarda a se fazer acompanhar pelo pecado. O próprio Deus valida a ira humana. No entanto, a maioria de nós nem sequer compreende a ira. Será que significa atirar coisas nas pessoas queridas e gritar com elas? Ou guardar rancor porque alguém nos traiu? Não. Esses são exemplos de expressões inadequadas de ira. Há uma linha tênue entre ira e pecado. A *ira*, de acordo com um dicionário, pode ser definida como "descontentamento intenso, geralmente temporário, sem especificar a forma de expressão".

DEUS NOS DÁ PERMISSÃO PARA NOS IRARMOS.

Não é errado sentir profundo e intenso descontentamento em relação a um acontecimento ou às ações de alguém. O descontentamento abrange desaprovação, desgosto e aborrecimento, sentimentos presentes em todos nós e que podem ser ocorrências cotidianas. Essa definição de *ira* não fornece um canal ou uma forma específica de expressão. Creio que isso se deve ao fato de que há diversas reações e atitudes apropriadas diante da ofensa que provoca ira. As reações também podem variar de acordo com fatores individuais, como idade, personalidade, situação e lugar. Espera-se muito mais de um adulto em público do que de uma criança pequena. De modo semelhante, espera-se muito mais de alguém que ocupa um cargo de autoridade ou liderança. Figuras de autoridade não devem usar seu cargo para expressar livremente as emoções ou para alcançar seus próprios objetivos. É importante se distanciarem de toda ofensa pessoal por tempo suficiente para que se conscientizem de como isso pode afetar outras pessoas que se encontram debaixo de seus cuidados ou de sua direção.

QUANDO REPRIMIMOS UMA EMOÇÃO PORQUE NÃO A CONSIDERAMOS VÁLIDA, CEDO OU TARDE A EXPRESSAMOS DE FORMA INADEQUADA.

Por exemplo, quando eu era uma jovem solteira e não cristã, fazia questão de expressar minha opinião a respeito de motoristas que me exasperavam no trânsito. Fornecia uma avaliação de sua habilidade na direção, recheada por uma série de palavras explicitamente indecorosas. Então, eu me tornei cristã e aprendi que minhas palavras têm o poder de abençoar ou de amaldiçoar outras pessoas. Além disso, tive a experiência de pegar carona com uma motorista piedosa que, a certa altura, levou uma cortada. Fiquei observando pelo canto do olho para ver qual seria sua reação. Ela não soltou nenhum palavrão, nem mesmo franziu a testa. Em vez disso, sorriu gentilmente e, com um gesto, esboçou um convite para que o outro motorista a cortasse novamente. Voltou-se para mim e comentou: "É melhor lançar uma semente de bondade".

Procurei, de imediato, imitar seu comportamento… Quer dizer, pelo menos parei de usar palavrões e gritar pela janela aberta. Ainda rangia os dentes e dizia algo como: "Vamos, querida. Não estou com todo o tempo do mundo. Que tal sair da frente? Não vai machucar você!". Eu também tinha o hábito de buzinar de forma instrutiva (por preocupação com a segurança alheia, claro). Então, casei-me e tive filhos.

Não me sentia mais à vontade para dizer coisas a pessoas que não podiam me ouvir de dentro de seus carros, especialmente quando eu via meus lindos filhos fazerem o mesmo. Eles tomavam o partido da mãe diante de motoristas imprudentes. Faziam cara feia, gritavam do banco de trás e olhavam para mim, em busca de aprovação. Perguntavam com ar de triunfo: “Esse cara precisa aprender a dirigir, né, mãe?”.

Opa! Eu tinha de encontrar outras formas de expressar meu desagrado, pois agora ele afetava e influenciava outras pessoas. Meus filhos estavam me imitando, e eu não desfrutava mais o privilégio de gritar com desconhecidos (supondo que, para começar, esse fosse um privilégio legítimo). Por uma questão de segurança e sanidade dos meus filhos no futuro, eu precisava dar um exemplo de descontentamento construtivo. Tive de desenvolver aptidões defensivas (e não ofensivas) ao dirigir. Em vez de atacar verbalmente outros motoristas, agora procuro ensinar meus filhos, dizendo a eles que algumas coisas que esses motoristas fazem são perigosas e mostrando como podemos reagir. Quando vejo no retrovisor um caminhão gigante se aproximando a toda velocidade, comento: “Vai ver que esse homem está chateado ou com pressa. É melhor a gente sair do caminho dele”. E, então, mudo de faixa. Tenho de reconhecer, porém, que ainda não sou capaz de convidar outros a me cortarem.

Ira passageira

Vejamos novamente a definição de ira: “Descontentamento intenso, geralmente temporário, sem especificar a forma de expressão”. Ela traz o termo *temporário*, que significa “momentâneo, passageiro, de pouca duração ou efêmero”. Portanto, a ira deve ser, por definição, breve e transitória, e não prolongada e perigosa. Muitas vezes, vivemos em um estado constante de exasperação, intercalado por breves interlúdios de felicidade. Deus nos dá exemplos do tipo saudável de ira: “Pois a sua ira dura um instante, mas o seu favor dura a vida toda” (Salmos 30:5).

A proporção entre ira e favor é muito pequena. De acordo com Davi, a ira de Deus dura apenas um instante. Davi sabia do que estava falando; ele havia experimentado pessoalmente a ira divina. Ele perdeu seu filho quando a ira do Senhor se acendeu contra seus pecados secretos de adultério e homicídio. Davi poderia ter ficado amargurado com Deus, considerando que a ira divina duraria a vida toda, enquanto seu favor é momentâneo. Acaso a espada não tinha estado continuamente sobre sua casa? Mas, ao contrário, Davi vislumbrou o caráter e a natureza de Deus. E, por meio de seu arrependimento, apegou-se à bondade e à misericórdia divinas.

Deus, em sua ira, pode temporariamente esconder seu rosto, mas ele o faz por decisão própria, e não por rejeição. Ele compreende nossa necessidade de voltar os olhos em outra direção ou nos afastar da fonte de descontentamento a fim de evitar uma expressão destrutiva de ira. Não nos afastamos de outros para castigá-los; distanciamo-nos para que as brasas de nossa ira arrefeçam e a razão possa voltar a governar nosso coração.

MUITAS VEZES, VIVEMOS EM UM ESTADO CONSTANTE DE EXASPERAÇÃO, INTERCALADO POR BREVES INTERLÚDIOS DE FELICIDADE.

Deus disse a Israel: “Vão para a terra onde manam leite e mel. Mas eu não irei com vocês, pois vocês são um povo obstinado, e eu poderia destruí-los no caminho” (Êxodo 33:3). E: “Por um breve instante eu a abandonei, mas com profunda compaixão a trarei de volta” (Isaías 54:7).

Ele nos deixa ou nos dá as costas apenas por um *breve* instante e, em seguida, volta para nos tomar nos braços com grandes e incontáveis misericórdias. Devemos dar as costas para a situação por um instante a fim de poder separar a pessoa de suas ações, palavras ou comportamentos. A ira piedosa não rejeita a pessoa; rejeita a transgressão e, com boa e pura consciência, busca um momento de solidão, a fim de separar uma coisa da outra. Tenho inúmeros exemplos de ocasiões em que Deus, em sua graça, fez isso por mim.

Há momentos em que sua mão pesa sobre mim, e eu sei que estou experimentando seu descontentamento com minha postura. Quando a situação se torna insuportável, arrependo-me com sinceridade e peço seu perdão. O peso desaparece, e meu coração é preenchido com seu amor e com suas promessas quando me sinto indigna dessas dádivas. Sei que mereço julgamento, mas, em vez disso, Deus concede misericórdia. Ele me traz para junto de si com imensas e bondosas misericórdias. E me diz: "Você ainda é minha, eu ainda a amo. Sei que você quer agir corretamente. Creio que você mudará. Eu perdoo e esqueço". Deus quer me dar a convicção de que ainda sou sua filha e de que ele não me rejeitou, embora minhas ações, palavras ou comportamentos não sejam aceitáveis a ele.

DEVEMOS DAR AS COSTAS PARA A SITUAÇÃO POR UM INSTANTE A FIM DE PODER SEPARAR A PESSOA DE SUAS AÇÕES, PALAVRAS OU COMPORTAMENTOS.

Vale a pena observar novamente: quando nos iramos, nossa primeira reação deve ser dar as costas (mental ou fisicamente) para a situação por um instante, a fim de poder separar a transgressão do transgressor. A boa e velha regra de contar até dez é válida, mas, com frequência, não é tempo suficiente. Uma vez que nos retiramos temporariamente do conflito, temos de perguntar: "O que está me aborrecendo?"; "O que está realmente acontecendo em meu íntimo?"; "Preciso separar algum tempo para responder a essas perguntas?". Isso nos remete à segunda parte do versículo de Efésios com o qual começamos este capítulo:

> Fiquem irados e não pequem. Não deixem que o sol se ponha sobre a ira de vocês (Efésios 4:26, NAA).

A ideia de que a ira é passageira também corresponde à admoestação de Deus, que, em outra versão, diz: "Apaziguem a sua ira antes que o sol se ponha". Não se trata de um problema com a escuridão. Todas nós já ficamos chateadas depois do pôr do sol porque continuamos acordadas por longas horas na madrugada. Creio que o pôr do sol se refere ao fim do dia ou ao término de um período apropriado. Quando a ira excede o estágio passageiro ou transitório, avança rumo ao patamar destrutivo da raiva pecaminosa. Tempo e ira estão interligados. Quanto mais tempo uma ofensa permanece sem solução, mais arraigada se torna. O coração se transforma em uma estufa para a raiz da amargura.

No capítulo seguinte, abordaremos os perigos de "nos deitarmos" com nossa ofensa.

Pai celestial,

Eu me dirijo ao Senhor em nome de Jesus. Que sua Palavra seja luz para meus pés e lâmpada para meu caminho! Mostre-me a vereda dos justos, para que eu possa andar de modo agradável ao Senhor. Ensine-me a não pecar quando eu me irar.

3. DORMINDO COM O INIMIGO

Quando John e eu éramos recém-casados, discutíamos com frequência. A maioria desses embates verbais ocorria em algum momento depois do jantar, mas antes de irmos para a cama. Em geral, depois de uma dessas discussões acaloradas, eu não me via pronta nem disposta a me acalmar, perdoar e esquecer antes de dormir. (Como você talvez já tenha observado, eu tinha um pequeno problema para lidar com a raiva e o perdão.) Fazia greve de silêncio, intercalada por pesados suspiros, depois me atirava na cama e virava as costas para John. Mas eu me posicionava tão perto da beirada de nossa cama *queen size* que meus joelhos ficavam para fora. Queria ter certeza de que nenhuma parte de meu corpo encostaria nele. Depois de alguns minutos de silêncio mortal, em que eu me ajeitava exageradamente, John costumava dizer:

— Deixa disso, Lisa. Vamos orar.

— Eu posso orar sozinha, muito obrigada — bufava eu, em resposta, sem me voltar para ele.

Seguia-se mais um tempo de silêncio no qual eu fingia estar dormindo. Às vezes, John também permanecia deitado, em silêncio; outras vezes, ele saía do quarto e depois voltava para resmungar e se revirar na cama. Então, de repente, ele saltava da cama como um super-herói. Acendia as luzes e arrancava o edredom de cima de mim.

— Não vamos deixar o sol se pôr sobre nossa ira! — anunciava ele, com autoridade.

Eu já havia passado por isso muitas noites antes.

— O sol já se pôs. Devolva as cobertas. — E eu puxava o edredom da mão dele.

— Não — retrucava John. — Nós precisamos orar!

Então, entrávamos em um cabo de guerra com o edredom. Por fim, John me vencia pela exaustão, e eu orava de má vontade e com o coração endurecido, algo do tipo: "Perdoo meu marido como um ato de fé, pois quero que ele pare de me atormentar e me deixe dormir".

No dia seguinte, John acordava feliz e descansado, enquanto eu acordava exausta e mal-humorada. Ficava com raiva porque ele tinha dormido bem; e eu, não.

Eu não dormia bem porque ainda estava cheia de ira. Com ou sem oração, eu não sabia como renunciar à minha ira até sentir que a outra pessoa fora suficientemente castigada ou que meu lado da discussão tivesse sido adequadamente verbalizado e compreendido. Eu também precisava de garantias (que eu considerasse satisfatórias) de que o delito não se repetiria. Por vezes, eu cobrava algum tipo de penalidade, penitência ou promessa.

A esta altura, já deve estar claro por que aquele breve período entre o jantar e a hora de dormir não era suficiente para completar satisfatoriamente esse processo. Como uma mulher em um daqueles duelos de faroeste antigo, eu ia dormir sem ter acertado as contas. Ainda havia uma dívida a ser paga.

Antes de irmos para nossos trabalhos pela manhã, também não havia tempo suficiente. Em geral, eu ainda estava em "modo zumbi". Por entre pálpebras pesadas, eu lançava olhares faiscantes para meu marido feliz e seguia cambaleante até o chuveiro, na esperança de melhorar minha disposição com um banho. Depois, quando ia tomar café, eu dava continuidade àquela greve de silêncio e acrescentava alguns suspiros devidamente calculados, caso John não estivesse percebendo meu desagrado. Por fim, ele entendia!

— Aconteceu alguma coisa, meu amor? — perguntava ele.

— Sim — respondia eu, em voz baixa.

— Pensei que tínhamos resolvido tudo ontem à noite.

— Não resolvemos nada. Só queria que você parasse de me irritar e me deixasse dormir — retrucava eu, com raiva. — Preciso ir trabalhar.

Batendo o pé com uma determinação renovada, eu subia as escadas. Retomaríamos a discussão depois do trabalho. Eu teria o dia inteiro para pensar nos argumentos que usaria à noite. Quando chegávamos em casa, sempre tínhamos outro desentendimento, dessa vez acrescido da briga da noite anterior e, possivelmente, da noite antes daquela, e da outra noite... E assim por diante. Uma vez que eu não resolvia a ira em relação a meu marido, sentia-me perpetuamente ofendida. Estava sempre chateada ou pronta para ficar chateada.

UMA VEZ QUE EU NÃO RESOLVIA A IRA EM RELAÇÃO A MEU MARIDO, SENTIA-ME PERPETUAMENTE OFENDIDA.

Saiba quando abrir mão

Uma parte importante de você estar irada e não pecar é reconhecer o momento de abrir mão da ira. Perpetuar a ira prolonga o pecado, que, por sua vez, estende o rancor, intensificando, assim, a reação de ira. Deixamos de tratar de uma ocorrência que causou descontentamento e passamos a lidar com o acúmulo de incontáveis infrações cometidas contra nós. Somos, repetidas vezes, atingidas pela mesma ofensa até que a situação deixa de ser apenas uma lesão e se torna uma ferida de punhalada múltipla.

Consideremos em maior profundidade o que Efésios 4:26 diz: "Apaziguem a sua ira antes que o sol se ponha". Aqui, encontramos um princípio físico e espiritual de grande valor. Quando vamos dormir chateadas, acordamos irritadas. Quando não oferecemos misericórdia a outras pessoas na noite anterior, temos dificuldade de receber a misericórdia de Deus pela manhã (Salmos 59:16).

Davi, em um de seus salmos, advertiu sobre o perigo de convidar a ira para dormir conosco: "Perturbai-vos [em outras palavras, irai-vos] e não pequeis; falai com o vosso coração sobre a vossa cama, e calai-vos" (Salmos 4:4, ACF). Esse guerreiro que cantava e tinha um coração que agradava a Deus compartilhou essa palavra de sabedoria que transcende épocas e culturas. Com base em sua experiência, ele nos admoestou: "Perturbai-vos e não pequeis; falai com o vosso coração sobre a vossa cama, e calai-vos". Na versão em inglês, Davi usa termos no plural: "camas" e "corações". A maioria de nós dorme em uma cama só; e cada um de nós tem só um coração. É provável que ele soubesse que a maior parte da ira se passa dentro de relacionamentos e estivesse tratando disso. Esses relacionamentos abrangem casais, membros da família e amigos. Na época de Davi, não era incomum as pessoas casadas dormirem em camas separadas. O rei está dizendo a seus súditos que devem ir para suas respectivas camas, aquietar-se e, com toda a calma, sondar o coração e apresentá-lo a Deus.

Aquiete-se e saiba que ele é Deus

Há um convite para honrar a Deus, para nos aquietar e saber. Saber o quê? Saber que ele é Deus ao permitir que ele se revele em meio à nossa aflição, aos nossos conflitos ou às nossas crises. Ele deseja ser a última palavra que você ouve antes de pegar no sono.

Na quietude, não diga mais nada; não tenha a última palavra. Não justifique seu posicionamento. É hora de ter o entendimento e a perspectiva de Deus, e colocar de lado todos os argumentos.

Com frequência, orar e meditar diante de Deus é muito mais uma questão de ouvir do que de falar. Não posso me purificar em minha enxurrada de palavras vociferadas e cheias de raiva. Elas expressam apenas meu lado, minhas justificativas, minhas frustrações. Minha torrente de racionalizações é turbulenta e lamacenta demais para me purificar; serve apenas para trazer mais sujeira à superfície. É a fonte de água viva, calma, tranquila e profunda que revigora e remove minha culpa e vergonha.

PERMITA QUE DEUS SE REVELE EM MEIO À SUA AFLIÇÃO, AO SEU CONFLITO OU À SUA CRISE.

Sonhos de ira

Mas e se decidirmos rejeitar o conselho de Davi e recorrer a nosso próprio raciocínio? Nossa frustração e nossa dor são reais e presentes demais para renunciarmos a elas sem antes dormir pelo menos uma noite em sua companhia. Acolhemos a ira e a trazemos para junto do peito, como se fosse um escudo. Ainda que peguemos rapidamente no sono, teremos uma noite de inquietação e tormento, como acontecia comigo, pois, "quanto mais você se preocupar, mais pesadelos terá; e, quanto mais você falar, mais tolices dirá" (Eclesiastes 5:3, NTLH).

Em vez de acordarmos limpas, lúcidas e revigoradas, encontraremos a mente pesada em razão de pensamentos sórdidos e irados de todo tipo. É bem possível que os pesadelos da noite anterior nos acompanhem à luz da manhã e talvez nos envolvam em uma mortalha esfarrapada de desânimo ou medo. Tentamos nos desvencilhar dos sonhos, mas, em manhãs desse tipo, eles parecem apegar-se tenazmente a nós.

Quando John e eu nos casamos, não raro eu acordava com raiva dele por causa de algum sonho que eu tivera durante a noite. Estava convencida de que ele havia participado ativamente e de bom grado do meu pesadelo. E estava quase certa de que ele sabia o que havia feito e voltaria a fazê-lo na vida real assim que tivesse a oportunidade. É claro que eu estava sendo ridícula, mas tudo parecia bem real na opaca luminosidade matinal de meu rancor.

Ou talvez sua noite tenha sido tão desprovida de sonhos quanto de descanso. Você dormiu, mas o sono foi leve e agitado. Agora, os vestígios de ira da noite anterior parecem um denso nevoeiro em sua mente, que confundem seus pensamentos. Você se esquece dos pedidos de desculpas e do perdão, lembrando-se apenas da ofensa. À luz da manhã, a situação parece mais assustadora e ofensiva. Não dá para deixar passar... Alguém tem de pagar pelo que fez!

Agora você é a vítima, e vítimas não pedem misericórdia, pois estão ocupadas demais exigindo reparação. Recusamos a misericórdia que Deus oferece pela manhã quando acordamos, pois nos sentimos cheias de razão ou vitimadas. Se há uma coisa que aprendi é que preciso de um bocado de misericórdia e, portanto, tenho de oferecer um bocado de misericórdia.

Ao voltarmos a Efésios, vemos que Deus tem mais coisas a dizer:

> "Quando vocês ficarem irados, não pequem." Apaziguem a sua ira antes que o sol se ponha, e não deem lugar ao diabo (Efésios 4:26-27).

PRECISO DE UM BOCADO DE MISERICÓRDIA E, PORTANTO, TENHO DE OFERECER UM BOCADO DE MISERICÓRDIA.

Pecar nos momentos de ira adiando sua resolução permite que o diabo tenha acesso a essa situação ou lhe dá direito de interferir. No comentário de Matthew Henry, encontramos a seguinte observação: "Que seus ouvidos sejam surdos àqueles que sussurram, contam mentiras e espalham calúnias". Quando estamos sozinhas na cama, cheias de ira, a quem mais daremos atenção? Nossos pensamentos soam alto demais. Impedem-nos de ouvir a voz calma e suave. Percebemos a voz mais agressiva e estridente, aquela que mantém o registro exato das ofensas cometidas contra nós no passado. O acusador de nossos irmãos envia seus mensageiros. Eles sussurram alto em nossos ouvidos enquanto tentamos pegar no sono. Intensificam o ataque e incluem mentiras e calúnias, ao mesmo tempo que repassam imagens de mágoas e dores do passado. Em seguida, projetam possibilidades futuras de conflito e, quando acordamos, sentimo-nos exaustas, aborrecidas e profundamente ofendidas.

Não se esqueça de como a Bíblia descreve o diabo: "Sejam sóbrios e vigiem. O diabo, o inimigo de vocês, anda ao redor como leão, rugindo e procurando a quem possa devorar" (1Pedro 5:8). Ele anda ao redor, à procura daqueles que não são sóbrios e vigilantes. Sóbrio é o oposto de embriagado. Uma pessoa embriagada muitas vezes não tem consciência do que está acontecendo à sua volta. Suas percepções e perspectivas ficam embaçadas. Seu tempo de reação é mais lento, e seu raciocínio fica distorcido. Estar vigilante significa prestar atenção e ficar de sobreaviso; implica estar desperta e atenta.

O DIABO É COMPARADO A UM LEÃO QUE RUGE, À PROCURA DE ALGUÉM PARA DEVORAR.

Leões costumam caçar durante a noite. O diabo é comparado a um leão que ruge, à procura de alguém para devorar. Claro que ele não entra literalmente em nosso quarto e nos devora fisicamente. Se fosse o caso, faríamos questão de resolver a própria ira antes de encostarmos a cabeça no travesseiro. Não, ele nos consome de outras maneiras mais sutis — maneiras que, embora sejam menos evidentes, não são menos perigosas para nós. Ele devora nossa alegria, nosso descanso, nossa força, bem como nossa saúde, nossos relacionamentos e nossos pensamentos. No lugar do silêncio tranquilo, ele incute o ruído contínuo de acusações. O temor sereno e reverente do Senhor é sobrepujado pelo medo que nos atormenta e nos tortura. Creio que Deus usou a persistência de um leão faminto e o terror que ele causa para ilustrar a determinação e a persistência com que Satanás nos busca. Ele fareja ofensa e ira não resolvida da mesma forma que um leão sente o cheiro do sangue de sua presa.

Durma na luz

Talvez jamais compreendamos plenamente aqui na terra quão importante é obedecer às advertências de Deus. Aqueles que têm obediência semelhante à de uma criança, que não recorrem a longas justificativas, recebem mais autoridade espiritual do que os eruditos que escolhem apoiar-se no próprio entendimento. A obediência protege, mas a sabedoria humana é loucura para Deus. Em comparação com a sabedoria de Deus, a nossa tem a aparência de mera insensatez.

Eu moro no Colorado e, se um guarda florestal batesse à porta de minha casa e avisasse que um urso selvagem e esfomeado está à solta em nossa vizinhança, eu não apenas daria ouvido às palavras do guarda; também lhe pediria para sugerir algumas precauções úteis. Se ele dissesse: "É importante dormir com as luzes acesas esta noite", eu seguiria sua instrução, embora sempre prefira dormir no escuro. E eu continuaria a dormir com as luzes acesas enquanto o urso não fosse capturado ou morto.

A SABEDORIA HUMANA É INSENSATEZ PARA DEUS.

Deus deseja que durmamos na luz de sua verdade, quer a compreendamos plenamente ou não. Se somos advertidas de modo tão sucinto a ser sóbrias, vigilantes, atentas e autocontroladas, é sábio darmos ouvidos a essa advertência. Aprendi essa lição do modo mais difícil. Eu imaginava que fosse mais sábia e que conseguisse dormir mesmo quando estivesse com raiva. Não foi algo que começou quando me casei; já estava presente em minha infância e na juventude. Eu tinha o hábito de ficar deitada na cama, meditando sobre a ofensa. Pensava em vingança e em minha ideia de justiça. Não era cristã e, portanto, no curso de minhas amarguradas reflexões, eu não refletia sobre a sabedoria de Deus e sua instrução. Permitia que o modo de pensar do mundo ditasse minhas atitudes e reações.

Estudos comprovam que a maioria de nós desenvolve a reação de ira no início da infância. Os padrões são definidos por meio de reforço positivo ou negativo. Aprendemos a fazer o que funciona ou o que leva outras pessoas a nos dar atenção e repetimos esse comportamento com tanta frequência que ele se torna um hábito.

Algumas de vocês talvez tenham tomado a perigosa decisão de ir para a cama com raiva por ignorância, como eu fazia quando criança. Outras talvez conheçam a verdade, mas escolham sua própria sabedoria. Outras ainda talvez escolham não ir para a cama iradas com outra pessoa. Sua ira é contra si mesmas. Vão dormir decepcionadas ou chateadas consigo mesmas e imaginam que, ao castigarem a si próprias durante toda a noite, acordarão diferentes, transformadas. Mas não é isso que acontece. O castigo repetido a cada noite não é construtivo; é destrutivo.

Engana-se quem imagina que a ira só é destrutiva quando se volta a outras pessoas. Quando eu não estava aborrecida com meu marido, muitas vezes estava decepcionada comigo mesma. Toda noite, quando eu ia para a cama, recitava uma lista mental de tudo o que havia feito de errado durante o dia. Eu me condenava com essa lista e me flagelava com a vergonha produzida pela recordação de erros, na tentativa de realizar expiação por minhas infrações.

Não estou dizendo que é errado fazer uma retrospectiva do dia e perceber que nos equivocamos ou desejar que tivéssemos agido de forma diferente. É saudável deixar que o Espírito Santo traga à lembrança palavras ou atos que o entristeceram. A melhor forma de fazer isso, porém, é na quietude de nosso quarto, lendo a Bíblia ou entrando em comunhão com o Senhor em nosso coração. Aquilo que eu fazia, e aquilo que eu temo que muitas de vocês façam, era me repreender durante a noite e, então, deixar que o peso da culpa me sufocasse enquanto eu dormia. Pela manhã, permitia-me orar e pedir perdão, mas, a essa altura, a culpa era tão intensa que eu tinha dificuldade de crer que as misericórdias do Senhor se renovam a cada manhã.

OS PADRÕES SÃO DEFINIDOS POR MEIO DE REFORÇO POSITIVO OU NEGATIVO.

Por exemplo, se eu ficava decepcionada com a maneira que eu tinha tratado meus filhos durante o dia, eu me condenava fortemente: "Eu devia ter sido mais paciente". Permitia que a culpa tomasse conta de mim, até que eu me sentisse angustiantemente mal e, nesse desespero e nesse ódio de mim mesma, eu ia dormir. Tinha esperança de, ao acordar, não estar tão aflita a respeito de minha impaciência e de a cena da noite anterior não se repetir. Em vez disso, porém, eu acordava me sentindo desanimada, fracassada. O peso desses sentimentos era tão grande que parecia insuportável, tornando os desafios do dia ainda mais difíceis. Eu criava as condições ideais para voltar a fracassar. Então, descobri que o ódio e a raiva de mim mesma são destrutivos. Encher-nos de culpa não transforma nossos relacionamentos, nem nosso ser interior.

Jesus sabia que a culpa por nossos pecados e falhas era pesada demais para nós e, portanto, ele a tomou sobre si. Ele deseja que a luz de sua verdade, ou seja, de sua Palavra, brilhe sobre nossas falhas. Essa luz cura aquilo que ela revela. Ao nos aproximarmos de

CULPA É ESCURIDÃO; MISERICÓRDIA É LUZ.

Jesus, ele dissipa as trevas de nossa vida até que se tornem luz. Culpa é escuridão; misericórdia é luz. Os versículos a seguir estão entre meus prediletos. Apresentam uma bela imagem do processo de transformação.

> A vereda do justo é como a luz da alvorada, que brilha cada vez mais até à plena claridade do dia. Mas o caminho dos ímpios é como densas trevas; nem sequer sabem em que tropeçam (Provérbios 4:18-19).

Em um capítulo mais à frente, trataremos da questão importante de perdoar a nós mesmas. Por ora, precisamos ter consciência de que estamos trilhando a vereda do justo. Embora não sejamos perfeitas, estamos caminhando rumo a um "dia perfeito" (v. 19, ARA). Este é o momento de deixar que seu coração seja purificado. Convido você a aceitar a Palavra e a sabedoria de Deus, e a orar comigo.

Pai celestial,

Eu me dirijo ao Senhor em nome de Jesus. Cometi o erro de dormir com o inimigo. Por favor, me perdoe. Não vou mais dormir com raiva, culpa ou ira. Não vou mais permitir que a escuridão envolva meu coração. Quero que a luz de sua Palavra e de seu amor permeie meu coração com a verdade. Permanecerei em tranquilo silêncio em minha cama e buscarei sua direção. Tomarei para mim a promessa de sua Palavra: "Quando se deitar, não terá medo, e o seu sono será tranquilo" (Provérbios 3:24). Humilho-me em obediência, debaixo de sua mão poderosa. Resisto ao diabo, que terá de fugir das partes de minha vida em que dei lugar a ele. Peço que o Senhor me proteja enquanto eu durmo, pois "em paz me deito e logo adormeço, pois só tu, Senhor, me fazes viver em segurança" (Salmos 4:8).

1. PREPARAR, APONTAR, FOGO!

Essas palavras transmitem uma imagem vívida que ajuda a ilustrar o círculo vicioso da ira; a progressão da ira ao pecado. Depois de ouvir "preparar, apontar, fogo", é impossível não visualizar o que isso representa. Vemos alguém, talvez desprevenido ou relaxado, colocar-se de imediato em atenção e de prontidão. A postura se torna firme, e as mãos pairam sobre a arma de defesa. Em seguida, vemos a pessoa levantar a arma e buscar atentamente o alvo, fazendo ajustes precisos e observando mentalmente a distância e a posição da vítima. Com a mira ajustada, restam apenas a decisão de atirar e o ato simples de apertar o gatilho ou soltar a flecha. Por fim, há uma pausa e observamos a reação do alvo.

A meu ver, essa sequência de palavras retrata, com bastante precisão e clareza, não apenas o ato de atirar, mas também a progressão da ira ao pecado ou, mais exatamente, a progressão da ira à raiva e à fúria.

Estado de prontidão

No livro de Neil Clark Warren *Make Anger Your Ally* [Faça da ira sua aliada], a ira é descrita como algo "completamente natural, perfeitamente legítimo. É a ocorrência interior que nos prepara para lidar com experiências que causam mágoa, frustração e medo". E "a ira é simplesmente um estado de prontidão física". Em seguida, ele explica: "Quando estamos irados, estamos preparados para agir". A ira, em sua forma mais autêntica, é a capacidade de agir ou a prontidão física para fazê-lo. Claro que não há nada de errado em estar de prontidão ou em ter a disposição e a capacidade de agir, ou, no caso de nosso exemplo, atirar. Ainda não houve dano algum; estamos apenas nos preparando para o que pode acontecer. A arma não foi erguida; temos apenas uma percepção mais intensa de que talvez isso se faça necessário.

Preparar é quando a adrenalina começa a circular pela corrente sanguínea e leva sangue para nossos músculos, os quais, então, se retesam em resposta. Até mesmo nossa respiração se torna mais acelerada, com vistas a suprir um possível aumento de demanda por ar, e o ritmo de nosso coração acelera. Encontramo-nos em estado de irritação estimulada. Aqueles que estão à nossa volta talvez não percebam que nossa prontidão se elevou. Não ouvem o sargento interior que grita a ordem: "Preparar!", embora ela tenha ressoado em todas as células de nosso sistema nervoso.

Há um inimigo lá fora! Estejam atentos! Preparem-se para atacar ou ser atacados! Avaliamos nossa reação conforme a intensidade de nossos sentimentos. Quão aborrecidas estamos? Quão racionais? Será que as emoções dominaram a razão? As forças emocionais e físicas da raiva nos colocaram em prontidão para algo e nós estamos preparadas, mas exatamente para quê? Devemos lutar ou fugir?

De repente, ouvimos a segunda ordem: "Apontar!". Percebemos que, ao obedecer à ordem, revelaremos nossa arma. Caso alguém ainda não tivesse certeza de que estamos aborrecidas, agora isso se torna evidente. Levantamos a arma e a apontamos para o alvo. Ajustamos a mira. Mas até onde iremos? Talvez se trate apenas de identificar quem nos ofendeu, tornando desnecessária qualquer outra ação. Estamos prontas para um confronto. Estamos armadas e somos potencialmente perigosas. Apontar não significa, necessariamente, tomar a decisão de atirar. Quer uma arma seja disparada ou não, uma vez que a apontamos para alguém, toda a dinâmica imediata do relacionamento muda.

A ira continua a avançar na direção da fúria e, a essa altura, tomamos a decisão de atirar. Um elemento de desespero e medo foi introduzido nessa equação. É uma questão de destruir ou de ser destruídas; portanto, definimos a pessoa (ou pessoas) como alvo e a (as) colocamos na mira. Mas onde devemos acertar? Queremos feri-la temporariamente, ou talvez incapacitá-la, a fim de que ande mancando para o resto da vida? Ou será necessário tirá-la completamente de cena? Nesse caso, temos de voltar a mira para um órgão vital, como o coração. Em nosso estado de agitação, é possível tomar essa decisão de modo seguro? Não temos opção! Somos impelidas pela percepção de urgência. Agora, temos a certeza de que precisamos acertar na cabeça ou no coração. Miramos com cuidado e exatidão, e esperamos pelo sinal: "Fogo!".

Apertamos o gatilho e sentimos o rebote da arma. Por um instante, fechamos os olhos para não ver a imagem que nos espera, mas logo os abrimos.

Temos, bem diante de nós, uma devastação sangrenta. É algo muito mais real e horrível do que imaginávamos possível. Ficamos chocadas com a destruição e começamos a questionar a ordem do sargento instrutor, que, agora, se encontra estranhamente silencioso.

O que testemunhamos? Assistimos à reação natural de "ira" que se intensificou até alcançar o perigoso estágio final de fúria. Esse exemplo ilustra a linha divisória entre ira construtiva e fúria destrutiva. A ira corresponde à prontidão emocional e física; a raiva é quando pegamos a arma; e a fúria, quando tomamos a decisão incontida de usá-la com o propósito de destruição.

Armas de raiva

Com grande frequência, vivenciamos a situação de "preparar, apontar, fogo" sem que existam armas físicas envolvidas. Nossas armas são menos tangíveis e assumem a forma de palavras, pensamentos ou ações. Talvez agora mesmo algumas de vocês tenham em mente imagens de uma ocasião em que dispararam uma arma desse tipo. É possível que outras se recordem de levantar os olhos e descobrir que estavam na mira de alguém. É importante considerarmos alguns exemplos detalhados e práticos de raiva e fúria, pois, *muitas vezes, uma parte significativa daquilo que chamamos "ira" na verdade consiste nos estágios progressivos de raiva e fúria.*

Lembra-se da história no primeiro capítulo, quando atirei o prato em John? Enquanto eu lavava a louça, minha tensão emocional foi me conduzindo ao estágio de prontidão da ira. Eu sabia que estava agitada e que estava tendo dificuldade para manter o autocontrole. Foi então que veio a última gota. Permiti que uma palavra ou frase de meu marido me empurrasse para além da ira até o âmbito da raiva. Identifiquei meu marido como alvo. A essa altura, ainda poderia ter me refreado, mas escolhi deixar que a raiva e a fúria corressem soltas e liberei minhas emoções com força total ao atirar o prato.

NOSSAS ARMAS ASSUMEM A FORMA DE PALAVRAS, PENSAMENTOS OU AÇÕES.

Agora, vejamos um exemplo de "preparar, apontar, fogo" nas Escrituras. É a famosa narrativa de Caim e de seu irmão, Abel. Embora você conheça essa passagem, peço que a leia novamente, como se fosse a primeira vez.

> Passado algum tempo, Caim trouxe do fruto da terra uma oferta ao Senhor. Abel, por sua vez, trouxe as partes gordas das primeiras crias do seu rebanho. O Senhor aceitou com agrado Abel e sua oferta, mas não aceitou Caim e sua oferta (Gênesis 4:3-5).

Surge um problema. Deus aceitou com agrado tanto Abel como sua oferta, mas negou seu favor a Caim e sua oferta. Imagine as fortes emoções despertadas por essa situação. Caim tinha a expectativa de que seus esforços seriam recompensados pelo Deus santo. Talvez ele até mesmo considerasse sua oferta melhor do que a de Abel. Afinal, Caim havia trabalhado por um longo tempo, enquanto Abel havia simplesmente abatido uma ovelha em um único dia. Caim ficou estarrecido com o que se passou. Ele sabia que Deus era Deus, e não queria reconhecer que ele próprio talvez tivesse feito algo de errado. A culpa devia ser de Abel. De algum modo, Abel havia tirado a bênção da vida de Caim. Portanto, Caim ficou extremamente aborrecido. E se viu em pleno estado de prontidão.

Por quê?

> Por isso Caim se enfureceu e seu rosto se transtornou. O Senhor disse a Caim: "Por que você está furioso? Por que se transtornou o seu rosto? Se você fizer o bem, não será aceito? Mas, se não o fizer, saiba que o pecado o ameaça à porta; ele deseja conquistá-lo, mas você deve dominá-lo" (Gênesis 4:5-7).

Deus fará as mesmas perguntas para nós: *Por quê? O que provocou emoções tão intensas naquele momento? Qual é, verdadeiramente, o problema?*

Deus estava ciente da ira de Caim e lhe fez uma pergunta importante: "Por quê?". Deus já sabia que Caim estava aborrecido, mas queria que Caim se conscientizasse desse fato.

Se Caim se tivesse dado o trabalho de responder a essa pergunta com sinceridade, a tragédia que se seguiu poderia ter sido evitada. No entanto, Caim não tratou em nenhum momento do verdadeiro motivo pelo qual ele estava aborrecido. É sempre mais fácil nos voltarmos contra as outras pessoas do que encarar a verdade. Então, diante do silêncio de Caim, Deus tomou a iniciativa e lhe disse a verdade, mostrando-lhe onde estava o verdadeiro problema. Então, lembrou ao ofendido Caim: "Se você fizer o bem, não será aceito?". Garantiu a Caim que a prática do bem traria aceitação e, em seguida, advertiu: "Mas, se não o fizer, saiba que o pecado o ameaça à porta; ele deseja conquistá-lo, mas você deve dominá-lo".

Caim se encontrava em estado de prontidão. Estava irado e, embora ainda não houvesse colocado Abel em sua mira, cogitava fazê-lo. Deus sabia disso e advertiu, de modo incisivo, que Caim podia escolher dominar seu pecado ou, em outras palavras, refrear a raiva crescente. Em vez de escolher esse caminho, Caim esperou uma oportunidade para se vingar. Mirou sua arma em Abel e se pôs a aguardar o momento oportuno.

> Disse, porém, Caim a seu irmão Abel: "Vamos para o campo". Quando estavam lá, Caim atacou seu irmão Abel e o matou (Gênesis 4:8).

Talvez Caim tenha pedido a ajuda de Abel ou o tenha convidado a ver o restante de sua colheita. Desde o início, porém, o objetivo de Caim era matar Abel. Ele não deu ouvidos à advertência de Deus, preferindo entregar-se ao pecado ao permitir que ele o conquistasse.

> Então o Senhor perguntou a Caim: "Onde está seu irmão Abel?". Respondeu ele: "Não sei; sou eu o responsável por meu irmão?". Disse o Senhor: "O que foi que você fez? Escute! Da terra o sangue do seu irmão está clamando" (Gênesis 4:9-10).

Caim sabia muito bem onde estava seu irmão. Estava morto e enterrado no campo, cercado pelos frutos da oferta que Deus havia rejeitado. É interessante observar que Caim sabia realizar um sacrifício, mas preferiu usar esse conhecimento contra seu irmão a oferecer um sacrifício como ato de obediência. Podemos supor que os dois irmãos houvessem aprendido com seus pais, Adão e Eva, sobre o sacrifício de um cordeiro sem defeito. No entanto, Caim permitiu que sua ira tomasse um rumo destrutivo e se transformasse em raiva e fúria.

Se fizermos o que é certo, seremos aceitas; continuamos a ter a capacidade de dominar o pecado. Embora a maioria de nós nunca tenha, literalmente, matado um irmão, muitas viram a destruição causada por palavras e ações descuidadas, calúnias e fofocas premeditadas. Para que possamos lidar de forma devida com a raiva, precisamos sempre responder com sinceridade à pergunta que Deus fez a Caim: "Por que você está furioso?".

Pai celestial

Eu me dirijo ao Senhor envolta na justiça de Jesus. Desejo a verdade em meu íntimo. Peço que o Senhor abra os olhos de meu coração, para que eu perceba quando a ira estiver presente. Sonde meu coração; revele a mim, a cada dia, as ocasiões em que reajo com raiva, a fim de que eu possa investigar os motivos.

5. CRIMES PASSIONAIS

Era uma manhã idílica. Minha querida amiga Chris, acompanhada de seus filhos, viera fazer uma rápida visita e nós havíamos desfrutado alguns momentos de sossego tomando café saborizado e adoçado com sorvete na varanda de casa. Observávamos com satisfação enquanto nossas quatro crianças brincavam juntas e alegremente no quintal. Não havia ocorrido nem uma briga sequer entre meus dois filhos e os dois filhos de Chris. O sol refletia em seus cabelos enquanto corriam entre as árvores e subiam nos brinquedos. Uma brisa suave amenizava a umidade da Flórida, e o telefone não tinha tocado nenhuma vez. Pudemos conversar sem interrupções durante quase uma hora! Em meio a toda essa paz, tinha sido fácil esquecer as muitas coisas que nós duas ainda precisávamos fazer. Suspiramos, cientes de que não poderíamos ficar ali para sempre. Tínhamos terminado de tomar o café, e logo seria hora de preparar o almoço. Ao chamarmos nossos filhos, pensei, toda orgulhosa: "Que crianças mais felizes e emocionalmente saudáveis eu tenho!". Passei a mão na cabeça delas enquanto entravam pela porta de correr de vidro. Um comportamento assim, tão exemplar, merecia ser recompensado. Todos haviam brincado juntos tranquilamente, sem conflitos.

— Espere só um pouquinho, Chris. Vou acompanhar você até a porta. Quero dar um doce para as crianças por terem se comportado tão bem enquanto brincavam juntas. — Fui até a cozinha e peguei um pacote de balas de goma em forma de dinossauros.

— Para vocês comerem depois do almoço — disse eu. — Cada um pode pegar dois. Austin, distribua os doces.

Coloquei uma porção generosa na mão de meu filho de dois anos e cabelos encaracolados. Com alguma hesitação, ele estendeu a mão ao seu amigo de seis anos, que escolheu com cuidado dois doces coloridos. Em seguida, Addison, meu filho de quatro anos, também pegou dois. A filha de Chris estava prestes a pegar também quando Austin cerrou o punho.

— Austin, deixe a Richie pegar os dinossauros dela — incentivei.

— Não — respondeu Austin. Quando ele se voltou para mim, vi a conhecida determinação em seu olhar.

— Austin, tem mais um monte de doces na cozinha. Dê dois para ela e, se você não gostar dos que sobraram na sua mão, pode escolher do pacote.

Em resposta, ele se agarrou ao poste da caixa do correio e fez que não com a cabeça.

Comecei a ficar com vergonha. Eu estava sendo sensata e tinha até reconhecido que não havia sido uma ideia muito brilhante pedir para ele distribuir os doces. Não houve nada que o fizesse mudar de ideia. Minha amiga precisava ir embora; então, corri até a cozinha, peguei o pacote de doces e deixei que sua filha escolhesse dois. Enquanto Chris e os filhos entravam no carro e colocavam os cintos de segurança, Austin permaneceu firmemente agarrado ao poste da caixa de correio.

Resolvi ignorá-lo naquele momento, despedi-me de todos e pedi desculpas pela falta de gentileza dele. Enquanto acenava para o carro, eu disse: “Venha, Austin, vamos entrar”. Addison correu para dentro sem problemas, mas Austin se recusou a sair de onde estava. Fui calmamente até a caixa de correio, torcendo para que nenhum vizinho estivesse assistindo àquela cena. Quando percebi que não poderia convencê-lo a entrar, olhei para ambos os lados e o desgrudei da caixa. Claro que um carro passou em frente de nossa casa no exato momento em que ele berrava e chutava, e eu o arrastava pelo gramado. "É provável que alguém pense que estou sequestrando a criança!"

Os pensamentos arrogantes sobre a educação maravilhosa que eu estava dando a meus filhos logo evaporaram. Uma vez dentro de casa, a situação não melhorou nem um pouco. Eu abri a mão de Austin, removi os doces suados e esmagados, e mandei que ele fosse para o quarto dele e ficasse lá até se acalmar. Deixei-o no *hall* e fui para a cozinha, mas vi que ele não tinha intenção de obedecer.

— Não vou para o meu quarto — declarou ele.

— Vai, sim — retruquei calmamente, sem sair da cozinha.

— Não vou para o meu quarto! — gritou ele, ainda mais alto.

— Vai, sim. Você vai me obedecer — disse eu, mantendo a voz baixa e calma.

— Não! Não vou! — berrou ele.

A essa altura, notei que a voz dele não estava mais vindo do *hall*, mas, sim, da escada.

— Vai, sim — respondi.

Gesticulei para que Addison fosse espiar e me dissesse onde Austin estava.

— Ele está sentado na escada lá em cima — sussurrou Addison.

— Eu não vou para o meu quarto! — gritou Austin novamente. Dessa vez, eu simplesmente o ignorei e comecei a conversar com Addison. Austin continuou a repetir suas declarações de independência por mais uns quinze minutos, mas com um entusiasmo cada vez menor. Então, eu o ouvi dizer de forma enfática:

— Não vou dormir. Não vou tirar uma soneca!

Ele repetiu essas frases mais algumas vezes e, depois, fez-se silêncio. Quando fui espiar, imaginei que ele ainda estivesse no alto da escada, mas não o vi em lugar nenhum. Na ponta dos pés, fui até o andar de cima, onde o encontrei dormindo na cama.

Por que resistimos tanto?

Austin sabia, em alguma medida, que ele estava errado e reconhecia até mesmo aquilo de que ele precisava. Em meio aos protestos, ele foi tirar uma soneca. Por que ele havia resistido tanto? Era evidente que estava cansado e esgotado.

Aliás, por que *nós* resistimos tanto? Especialmente quando estamos cansadas e esgotadas? Creio que, muitas vezes, nós resistimos pelo mesmo motivo que levou Austin a resistir.

Na mente dele, havia uma boa razão para seus protestos. Certo ou errado, ele sentia que havia sofrido uma injustiça. Não queria dividir os dinossauros com outras pessoas. Ao ver a porção em sua mão diminuir, algo aconteceu. Ele fechou o punho para mostrar que tinha chegado ao limite. "Não estou nem aí para o que a mamãe ou qualquer outra pessoa diga. Não vou dividir mais com ninguém." Quando Austin despertou da soneca, em um estado mais racional e calmo, expliquei a ele que seu comportamento havia sido inapropriado e que ele não seria recompensado. No fim das contas, ele nem ganhou os dinossauros de goma que tanto queria.

MUITAS VEZES, AS CRIANÇAS EXEMPLIFICAM, DE MODO VISCERAL E EVIDENTE, AQUILO QUE OS ADULTOS APRENDERAM A ENCOBRIR COM A PRÁTICA DE BOAS MANEIRAS.

Quero deixar claro que não estou defendendo o comportamento de Austin, nem seu egoísmo. Muitas vezes, as crianças exemplificam, de modo visceral e evidente, aquilo que os adultos aprenderam a encobrir com a prática de boas maneiras. Nosso desdém bem-educado muitas vezes obscurece a questão.

Eu havia permanecido calma durante todo o episódio, não porque sou uma mãe maravilhosa (será que alguém é? Quando se trata de educar os filhos, preciso diariamente da graça e da sabedoria de Deus), mas porque eu me vi nele. Lutei muitas vezes por me sentir frustrada, com a impressão de ter sofrido injustiça, sem saber como articular esses sentimentos. Nessas horas, fiz declarações absurdas de independência, como quem diz: "Vou fazer o que preciso, mas sob protesto, e só quando eu estiver a fim. Vai ser no meu tempo e do meu jeito". Sempre ficamos iradas quando sentimos que fomos alvo de uma ofensa, quando algum limite real ou imaginário em relação a nós mesmas foi transgredido.

> AS PESSOAS SE ABORRECEM EM RELAÇÃO ÀQUILO A QUE SE APEGAM MAIS APAIXONADAMENTE.

Já definimos ira como um estado físico de alerta ou agitação que nos deixa de prontidão; portanto, não é preciso ir muito longe para perceber que a ira também abrange a paixão. As pessoas se aborrecem em relação àquilo a que mais se apegam apaixonadamente.

Por exemplo, é possível que outros passem dos limites em algumas áreas e eu não fique aborrecida com essa transgressão. Essas áreas variaram e mudaram à medida que (espero) fui amadurecendo e meu contexto de vida e meus referenciais também mudaram.

A paixão da ira

Quando eu estava no ensino médio, não havia nada que eu temesse mais do que ser alvo de piada por causa de minha prótese ocular. Lembro-me de um incidente específico no qual reagi com um ataque de fúria. O time de futebol americano da escola estava jogando, e alguns amigos e eu estávamos tentando chegar aos nossos lugares na arquibancada lotada. Eu detestava esse tipo de situação, pois sabia que estava incomodando outras pessoas e não gostava que voltassem a atenção para mim. Eu era a última pessoa dessa procissão rumo a nossos lugares e, enquanto passava por espectadores irritados, ia pedindo licença e me desculpando. Quando cheguei a um sujeito grandalhão e nada gentil, ele disse: "Sem problemas, caolha". De imediato, senti meu rosto ruborizar. Parei e me voltei para o garoto.

— Do que você me chamou? — perguntei, desafiando-o a dizer na minha cara o que tinha dito pelas costas. Ele me olhou fixamente e repetiu:

— Caolha.

Meio segundo depois, sem eu ter consciência do que havia feito, o conteúdo do meu copo de refrigerante estava no rosto dele. Olhei para meus amigos, mas eles já estavam sentados, perdidos em um mar de adolescentes. Trêmula de raiva e medo, passei pela multidão surpresa em direção ao meu lugar. Nem me lembro do que o grandalhão disse. É claro que todos ali perto tinham visto o que eu havia feito, mas não tinham ouvido as palavras dele. Encontrei meus amigos e me sentei. Não demorou muito para alguém me avisar que o garoto pretendia me dar uma surra depois do jogo. Eu estava com raiva demais para me importar com isso. Respondi à ameaça dele com um comentário ignorante, do tipo: "Não tô nem aí! Não tenho medo dele!". Mas era mentira. Eu estava em pânico. Só desgrudei de meus amigos quando me certifiquei de que me encontrava em segurança, perto do carro dos meus pais. Na semana seguinte, eu não queria nem pensar em voltar para a escola. Estava certa de que, de um jeito ou de outro, o garoto iria me encontrar e me matar. Para a minha surpresa, ele nunca mais me incomodou, mas eu vivia com medo de que alguma outra pessoa usasse um dos vários apelidos que eu tinha recebido. E meu medo não era infundado.

Meus sentimentos em relação a meu olho eram intensos. Quando alguém me chamava de ciclope, meu mundo virava de cabeça para baixo. Eu queria sair da escola e me esconder em meu quarto. Mas isso foi mais de vinte anos atrás. Hoje sou casada e me sinto segura e amada em meus relacionamentos com meu marido e os amigos. Aprendi que a aparência não é o referencial de minha identidade (graças a Deus!). Meus horizontes se expandiram grandemente desde o ensino médio. Não sou mais definida nem limitada por minhas experiências na escola. Tornei-me cristã e aprendi a enxergar para além de mim mesma.

Sou uma mulher adulta com quatro filhos. Não ligo nem um pouco para apelidos que alguém possa inventar a meu respeito, mas não lido bem com situações em que as pessoas ofendem meus filhos. Eles são a nova área da minha vida que desperta paixão. Em geral, minha reação inicial consiste em interferir e proteger meus filhos da possibilidade de sofrimento. A ira com a forma que eles são tratados não desencadeia dor pessoal, mas, sim, uma reação intensa e protetora que fica entre a de uma mãe ursa e a de uma mãe normal. Tenho consciência de que a paixão que tenho nessa área talvez seja excessiva e sempre tento me distanciar um pouco e avaliar se minha proteção é realmente necessária. Afinal, tenho quatro filhos meninos que não se abalam com tanta facilidade quanto eu costumava me abalar.

Voltemos ao incidente na arquibancada. Na época, pareceu-me impossível *não* jogar refrigerante no garoto. Era impensável deixar passar ou ignorar seu comentário. Para mim, era uma questão de vida ou morte. Se o garoto tivesse me agredido fisicamente, eu teria lutado com todas as minhas forças e não teria nem mesmo sonhado em pedir desculpas por ter jogado refrigerante no rosto dele. Eu era uma descrente ignorante e de cabeça quente! Mas onde foi parar essa paixão? Será que, por não estar mais presente em mim, eu não reagiria hoje da mesma forma a um acontecimento desse tipo? Não, ainda nutro sentimentos apaixonados, mas essa questão deixou de ser importante para mim. Deixou de ser uma ofensa. Isso não significa, porém, que eu não dê valor a opiniões em outras áreas da minha vida, e é bem possível que essas áreas mudem ao longo dos próximos vinte anos.

Proponho que ampliemos nossa definição de ira. *Trata-se de um estado elevado de prontidão física e emocional para defender algo a respeito do qual temos sentimentos apaixonados, e em geral temos sentimentos apaixonados a respeito de coisas que são importantes para nós.* Portanto, não costumamos nos irar em relação a fatos triviais, a menos que estejam ligados, em maior escala, àquilo que é importante para nós.

Consideremos, agora, a paixão. Muitas vezes, nossa cultura confina a paixão à sexualidade, mas ela abrange uma gama muito maior de sentimentos e se evidencia em um indivíduo muito antes do despertar do desejo sexual. Precisamos de uma definição clara de paixão, pois ela abarca dois extremos das emoções humanas: amor e ódio. A paixão está ligada intimamente aos seguintes termos de afeto: *emoção, entusiasmo, empolgação, desejo, predileção, amor, afeição, encantamento, anseio* e *ardor*. Também é associada a termos igualmente fortes de alienação e distanciamento: *fogo, rompante,* fúria, cólera, *raiva, indignação, violência, ressentimento, veemência* e *furor*.

Tendo em mente as ideias acima associadas à paixão, examinemos o seguinte versículo:

> Feliz é o homem que persevera na provação, porque depois de aprovado receberá a coroa da vida que Deus prometeu aos que o amam (Tiago 1:12).

Temos aqui a promessa e a admoestação que antecedem a advertência. Creio que caminham junto com a advertência que

Caim recebeu. A promessa é de bênção para aqueles que escolhem o caminho da vida. Evidentemente, Caim não perseverou ao ser provado e tentado; em vez disso, matou seu irmão. Na sequência, lemos:

> Quando alguém for tentado, jamais deverá dizer: "Estou sendo tentado por Deus". Pois Deus não pode ser tentado pelo mal, e a ninguém tenta. Cada um, porém, é tentado pela própria cobiça, sendo por esta arrastado e seduzido (Tiago 1:13-14).

Desculpas e mais desculpas

Ninguém deve dizer que está sendo tentado por Deus. Creio que outra forma de expressar essa ideia seja: "Nem tente jogar a culpa em Deus". Talvez você se lembre da personagem Geraldine, protagonizada pelo comediante Flip Wilson, que sempre dizia: "É culpa do diabo!".[1] Não creio que os cristãos chegariam a dizer: "É culpa de Deus! Ele me fez cometer adultério" ou "Ele me fez atirar naquele sujeito". Creio, porém, que haja outra forma de culparmos Deus inadvertidamente. Costumamos dizer: "Foi inevitável" ou "Não consegui me controlar". Contradizemos Deus (segundo o qual podemos fazer todas as coisas em Cristo, que nos fortalece) quando afirmamos que o pecado deseja nos conquistar e que não somos capazes de dominá-lo. Talvez não articulemos essas palavras com os lábios, mas as expressamos em nosso modo de viver.

NINGUÉM DEVE DIZER QUE ESTÁ SENDO TENTADO POR DEUS.

[1]Geraldine Jones foi uma personagem criada e interpretada pelo comediante Flip Wilson, na década de 1970. Geraldine era famosa por sua frase de efeito "O diabo me levou a fazer isso", que ela usava como uma desculpa cômica para seus comportamentos extravagantes e desafiadores. (N. E.)

Não fique se remoendo

> Então esse desejo, tendo concebido, dá à luz o pecado, e o pecado, após ser consumado, gera a morte (Tiago 1:15).

Quando permitimos que a cobiça ou as paixões povoem livremente nossos pensamentos, elas saem do ventre das coisas ocultas e silenciosas e vêm à luz como pecados tangíveis e presentes. Vemos um exemplo óbvio dessa realidade em um homem e uma mulher que têm desejo sexual um pelo outro. Eles contemplam mentalmente, e com frequência, imagens do objeto de desejo. Muito antes de haver contato físico, há um bocado de fantasia. E essa fantasia progride de pensamento passageiro durante o dia (o que, a princípio, pode até parecer uma violação — "O que me fez pensar nele dessa maneira?") para meditação à noite ("Como seria receber sua atenção e seu afeto?"). Em pouco tempo, a linha divisória entre fantasia e realidade se torna indistinta. Pensar um no outro se transforma em desejar um ao outro. Começa com uma atração emocional que, depois, se torna física. Não basta mais cada um fantasiar sozinho; é preciso haver contato ("Será que ele sente o mesmo? Preciso saber!"). Talvez esse contato pareça ingênuo, como quem coloca apenas a ponta dos pés na água, mas avança a passos rápidos. As chamas do desejo foram alimentadas por pensamentos da pessoa desejosa e, agora, ardem fora de controle, ameaçando queimá-la caso o desejo não seja satisfeito. Segue-se o contato físico e, de tão intenso, ambos se consomem no grande incêndio que eles mesmos produziram. O que vem depois é adultério ou fornicação, que, em última análise, produz morte. Morte de casamentos que resultam em divórcio; morte da liberdade, que se transforma em escravidão das paixões; morte da pureza sexual, pois o leito conjugal foi profanado.

A mesma coisa se aplica à ira. Alguém nos ofende e, a princípio, pensamos na ofensa apenas ocasionalmente. Imaginamos o que gostaríamos de dizer àquela pessoa se tivéssemos a oportunidade. Pensamos em outros que talvez precisem saber da ofensa que sofremos. Talvez possam nos aconselhar. Quando se trata de alguém com quem nos relacionamos há algum tempo, recapitulamos as transgressões anteriores armazenadas na memória. A ofensa cresce e passa a ocupar mais espaço em nossos pensamentos. Exige atenção e, da próxima vez que vemos o indivíduo, não nos sentimos mais à vontade perto dele. Evitamos olhá-lo nos olhos e experimentamos a falsa sensação de superioridade ou de desagradável distanciamento. Nesse caso, estamos falando de ressentimento. Uma ofensa está crescendo no recôndito de nossa mente. Em pouco tempo, vamos nos dar conta de que nos tornamos ríspidas e impacientes com aquela pessoa. Ficamos aborrecidas até mesmo de ouvir outros a elogiarem.

De raiva a ressentimento a...

Tem início o pecado. A ira deixou de ser um descontentamento passageiro e se transformou em um ressentimento duradouro. Progrediu de ira para raiva, e a raiva sempre busca uma forma de extravasar. Não pode ser guardada por muito tempo, pois causa desconforto. Agredimos verbalmente; fazemos intrigas e espalhamos mentiras na tentativa de castigar quem nos ofendeu. A raiva busca punição ou vingança a todo custo. O ódio se insinua e logo vem a morte na forma de relacionamentos rompidos, confiança destruída e profundas raízes de amargura. A morte sempre representa ausência de vida. O ódio escurece o coração ao impedir que entre a luz da vida.

> Quem odeia seu irmão é assassino, e vocês sabem que nenhum assassino tem vida eterna em si mesmo (1João 3:15).

Consideremos essa passagem das Escrituras. Primeiro, traz a palavra "quem". Isso inclui todos. Não há uma exceção prevista em nota de rodapé, com as seguintes palavras: "Isso exclui todos que foram *realmente* maltratados por seu irmão ou seus irmãos". Quando as Escrituras trazem *quem, todo aquele* ou *todos*, isso significa que o texto se aplica a cada um pessoalmente. Não temos a opção de dizer: "Mas você não entende o que eles fizeram!".

Quando Deus nos dá uma instrução plenamente abrangente como essa, ela é não apenas uma verdade à qual ele deseja que nos sujeitemos, mas também uma verdade que ele nos capacitará a pôr em prática. Deus diz que quem odeia seu irmão é assassino. Essas são palavras fortes. Eu não quero ser chamada de assassina. No entanto, posso dizer honestamente que houve ocasiões em minha caminhada cristã em que encontrei ódio nos cantos mais escuros de meu coração. Isso significa que estou eternamente condenada como transgressora, ou até mesmo como assassina? Sim, se eu deixar que o ódio permaneça em meu íntimo e cresça; não, se eu escolher outro caminho.

Cada uma de nós experimentou a graça de Deus que nos capacita e sua misericórdia que cobre nossas transgressões. Nenhum pecado é tão sombrio ou hediondo que ele não possa perdoar. Acaso Deus não perdoa assassinos? Então, por que Deus diz que o assassino não tem vida eterna em si mesmo? Primeiro, há uma enorme diferença entre alguém que comete o ato físico de homicídio (seja passional, seja premeditado) e depois se arrepende, por um lado, e alguém que vive em estado perpétuo de homicídio em seu coração, por outro.

A RAIVA BUSCA PUNIÇÃO OU VINGANÇA A TODO CUSTO.

Temos de enxergar a situação da perspectiva do reino, e não da perspectiva de nosso sistema judiciário terreno. Quando um cidadão aqui da terra comete homicídio, é possível que seja condenado à prisão perpétua como forma de pagar por seu crime. No entanto, não somos mais apenas cidadãs da terra, pois a Bíblia diz: “Portanto, vocês já não são estrangeiros nem forasteiros, mas concidadãos dos santos e membros da família de Deus” (Efésios 2:19).

Não somos governadas pelas leis aqui da terra, mas pelas prescrições do céu. O céu não exerce o governo segundo regras ou normas exteriores inscritas em pedra, mas, sim, por um código secreto inscrito em nosso coração. Regras mortas e inertes registradas em pedra são para corações duros e mortos. A lei da liberdade não é para o coração de pedra, mas, sim, para o coração de carne. As palavras de 1João 3:15 foram escritas para os cristãos como advertência de que, quando odiamos nosso irmão, a vida eterna não reside mais em nós. No reino da terra, é preciso matar alguém fisicamente para ser chamado assassino, mas, no reino ou na família de Deus, basta tão somente odiar.

> NÃO SOMOS GOVERNADAS PELAS LEIS AQUI DA TERRA, MAS PELAS PRESCRIÇÕES DO CÉU.

É importante observar que o coração de carne tem maior capacidade para o amor e a dor do que o coração de pedra. Caso se permita que o ódio se torne tão intenso quanto a mágoa ou a dor, de modo lento, mas inexorável, ele tomará o lugar da vida eterna e do perdão de Deus em nossa vida. Ficaremos pesadas e nos sentiremos esgotadas. E teremos uma dificuldade cada vez maior de perdoar as outras pessoas, até mesmo aquelas que não nos ofenderam no passado. A ira deixou de ser passageira, temporária; tornou-se algo a que nos apegamos apaixonadamente. É exaustivo viver continuamente no limiar da raiva. A princípio, nosso coração nos convence do pecado e procura lançar luz sobre nossa verdadeira condição; depois ele começa a nos condenar quando essa luz é substituída por racionalização e fúria.

No entanto, até mesmo o coração endurecido dos cristãos pode libertar-se pela verdade da Palavra de Deus, que trabalha como um martelo. Eu já confessei que encontrei ódio em meu coração depois de me tornar cristã. Acaso encontro-me condenada para sempre? Não, pois escolhi não deixar que o ódio permanecesse em meu íntimo. Temos de guardar nosso coração e nos certificar zelosamente de que ele permaneça livre das ofensas não resolvidas e estimuladas pela permissão de a raiva progredir para o estágio de desvario, fúria ou cólera.

É EXAUSTIVO VIVER CONTINUAMENTE NO LIMIAR DA RAIVA.

Para algumas de vocês, a mensagem deste livro é justamente esse martelo. É possível que, neste exato instante, você esteja travando uma batalha argumentativa em sua mente. Uma voz traz à memória o rosto e o nome de cada pessoa que a magoou, suplicando para que você perdoe todas elas e siga em frente; ao mesmo tempo, outra voz continua a justificar o ódio ou o ressentimento. Renda-se à primeira voz. Pare de justificar sua fúria e permita que o Espírito Santo caminhe mais perto de você no caminho da vida.

Pai celestial,

Dirijo-me ao Senhor em nome de Jesus. Confesso que há ódio oculto em meu coração. Senhor, não quero mais que ele permaneça ali. Escolho a vida, e não a morte; a bênção, e não a maldição. Renuncio ao ódio e me arrependo dele com a mesma intensidade que eu renunciaria ao homicídio. Agradeço ao Senhor por abrir os olhos de meu coração e revelar a verdade. Ensine-me a não pecar quando me irar.

6. QUANDO A DOR É INSUPORTÁVEL

É possível que você esteja pensando: "Você não entende minha dor. Não sabe o que fizeram contra mim. Não faz ideia de quanto sofri". Você tem razão, eu não sei mesmo; no entanto, há Alguém que sabe. Talvez você tenha sofrido abuso ou violência de alguém em quem confiava. Talvez tenha sido estuprada por um desconhecido. É possível que tenha sido abandonada por alguém que havia prometido permanecer sempre ao seu lado. Talvez seu filho tenha morrido de forma violenta ou absurda. Alguém que você ama foi maltratado. Seus pais a decepcionaram ou a rejeitaram. Você nunca se sentiu à altura de algo bom na vida. Foi alvo de zombaria em razão da cor de sua pele. Ouviu "piadas" por causa de uma deficiência física. Ou sofreu a traição de uma amiga.

As raízes da amargura

Qualquer uma dessas tragédias é suficientemente dolorosa para lançar sementes que se tornam raiz de amargura. Satanás usa o terrível subterfúgio de plantar suas sementes daninhas no solo dos corações feridos. Creio que ele se insinua em nossa vida nos momentos em que nos vemos mais vulneráveis. Incentiva-nos a reviver a dor, a nos apegar a ela e a não renunciar. Conta mentiras e promete que, se nos apegarmos à dor e mantivermos sua memória vívida em nosso coração, ela nos protegerá, de algum modo, de futuras agressões. Ele nos incentiva a não abrirmos mão da ira no fim do dia, mas a extrairmos força dela, perpetuando sua influência em nossa vida. Essa é mais uma mentira.

Coração despedaçado é como solo arado: terreno fértil para receber sementes. Deus quer que atentemos para sua advertência, que nos aproximemos dele nos momentos de aflição e permitamos que o Espírito Santo lance sementes de consolo de sua Palavra nas feridas de nosso coração. Talvez essas sementes cresçam de um modo lento, mas elas trarão cura e vida. É possível que nos sintamos frágeis e vulneráveis enquanto elas são lançadas, mas elas crescerão em segredo e nos restaurarão de dentro para fora.

SATANÁS USA O TERRÍVEL SUBTERFÚGIO DE PLANTAR SUAS SEMENTES DANINHAS NO SOLO DOS CORAÇÕES FERIDOS.

Satanás também quer lançar sementes. Ele anda ao redor como leão faminto, atraído pelo cheiro de um ferimento. Ele nos convence a dormir com nossa ira e planta o joio da amargura durante nosso sono irrequieto. Então, acordamos com algumas gotas de vingança em nossas veias. A princípio, assim como a cafeína, a vingança revigora a alma cansada. O efeito, contudo, é temporário e, assim como a cafeína usa os nutrientes saudáveis e necessários do corpo a fim de alcançar seu alvo, a raiz da amargura sufoca as tenras mudas da Palavra de Deus assim que começam a crescer.

As ervas daninhas sempre crescem com mais rapidez do que as outras plantas. São vegetação selvagem que se espalha de forma desenfreada e se adapta a qualquer tipo de solo que encontra. As sementes vivificadoras de frutas e vegetais, em contrapartida, precisam ser cultivadas com grande cuidado e são facilmente sufocadas pelo mato à sua volta ou pelas condições inapropriadas do solo.

> Cuidem que ninguém se exclua da graça de Deus; que nenhuma raiz de amargura brote e cause perturbação, contaminando muitos (Hebreus 12:15).

Cuidar significa vigiar de modo diligente e constante. Esse versículo nos adverte que o descuido em alguma área pode levar-nos a nos privar da graça de Deus e, com isso, dar origem a uma raiz de amargura. A descrição traz à mente ocasiões em minha infância em que fui encarregada de arrancar ervas daninhas do jardim. Sempre executava essa tarefa com pressa, para poder brincar em seguida. E, graças à minha falta de cuidado, muitas vezes eu removia apenas a parte de cima da erva daninha, em vez de arrancá-la pela raiz. Não era extremamente difícil puxar a planta pela raiz, mas exigia um pouco mais de esforço. Era preciso escavar a terra em volta e puxar pela base, e eu não queria fazer nada disso. Por certo, a planta não sobreviveria sem o caule e a folha, e minha mãe não ficaria sabendo daquilo que ainda estava dentro do solo. Eu jogava terra sobre os restos das plantas e ia fazer outra coisa. Algumas semanas depois, lá estava a erva daninha no mesmo lugar. Muitas vezes, a planta era menor do que aquela da qual eu tinha arrancado o caule e as folhas, mas agora tinha raízes mais fortes. Minha mãe mostrava que, por isso, seria necessário escavar mais ao redor da base da planta e expor as raízes para conseguir arrancá-las. E o que deveria ser uma tarefa simples se transformava em uma batalha tediosa.

A RAIZ DE AMARGURA SUFOCA AS TENRAS MUDAS DA PALAVRA DE DEUS QUANDO COMEÇAM A CRESCER.

Quantas vezes não fazemos a mesma coisa no jardim de nosso coração? Somos descuidadas ao remover as ervas daninhas e, em vez de arrancar pela raiz os modos de pensar equivocados, apenas removemos a parte visível e esperamos que ninguém perceba a raiz abaixo da superfície. Não deixamos que o Espírito Santo trabalhe de maneira profunda. Não recebemos as palavras que traspassam e penetram; queremos as palavras que simplesmente apaziguam. À primeira vista, nosso jardim parece limpo, mas, no interior do solo, há toda espécie de questões não resolvidas. As flores nos canteiros começam a murchar e secar, mas nós persistimos em nossa conduta. Então, de repente, a raiz da amargura surge. Pois, enquanto se encontrava dentro do solo, emaranhou-se com as raízes de plantas saudáveis e esgotou seus nutrientes.

Cavamos ao redor das raízes da amargura e ficamos admiradas com sua profundidade e extensão. Temos de usar luvas para puxá-las com todas as forças, cuidando para nos aproximar cada vez mais da base, a fim de não quebrar a planta e deixar vestígios das raízes no solo. Ao longo desse processo, a terra é revirada e prejudica uma porção de flores ao redor. O que resta, então, é um canteiro visivelmente bagunçado!

De que maneira a raiz da amargura nos contamina?

Raízes de amargura causam problemas e contaminam. Algo outrora puro é poluído, envenenado, adulterado e corrompido. Dessa forma, nosso coração sensível, no qual boas sementes foram plantadas com todo o cuidado, é permeado por raízes tenazes cheias de veneno destrutivo e amargo. Por isso recebemos a seguinte advertência: "De tudo o que se deve guardar, guarde bem o seu coração, porque dele procedem as fontes da vida" (Provérbios 4:23, NAA).

As ervas daninhas esgotam e poluem as fontes de água viva. A raiz aparece e, então, nos sentimos vazias e inertes. Podemos sobreviver por algum tempo sem alimento, mas não duramos muito sem água. O versículo de Provérbios indica que é de suma importância guardar nosso coração. Vestimos a armadura nas partes em que somos mais vulneráveis. Colocamos em cofres aquilo que consideramos mais precioso. Nosso coração é fonte de vida ou de morte; é a câmara de nossa alma. Devemos guardá-lo a sete chaves e proteger todas as entradas possíveis.

De que maneira a raiz de amargura nos contamina? Em Atos 8:23, Pedro repreende Simão, o mago: "Vejo que você está cheio de amargura e preso pelo pecado". Simão havia crido e sido batizado, mas ainda tinha ervas daninhas em seu coração. Elas o levaram a tentar, de forma irreverente, comprar a dádiva gratuita do Espírito Santo, para que as pessoas sobre quem ele impusesse as mãos recebessem o Espírito. A amargura nos mantém cativas do pecado. As ofensas não resolvidas nos levam a tentar usar as coisas preciosas de Deus para validar a nós mesmas em vez de capacitar outras. E, sem nos darmos conta, misturamos aquilo que é precioso com aquilo que é desprezível. Coisas puras e valiosas talvez entrem em nosso coração, mas logo são contaminadas e poluídas pela raiz de amargura que reside ali. A graça de Deus é distorcida e transformada em permissão para pecar em vez de nos capacitar para andar em obediência.

RAÍZES DE AMARGURA CAUSAM PROBLEMAS E CONTAMINAM.

Como nos livrar da amargura

Em Efésios, Paulo nos exorta:

> Livrem-se de toda amargura, indignação e ira, gritaria e calúnia, bem como de toda maldade. Sejam bondosos e compassivos uns para com os outros, perdoando-se mutuamente, assim como Deus perdoou vocês em Cristo (Efésios 4:31-32).

Em Colossenses, Paulo descreve esse processo como o de nos despir de nosso velho eu e nos revestir da nova pessoa, que está sendo renovada à imagem do Criador. Deixamos de ser cidadãs do reino das trevas e nos tornamos cidadãs do reino da luz.

Onde antes havia expressões ou ciclos doentios de raiva que *pareciam* nos proteger, agora fica evidente que, na verdade, essas expressões nos contaminaram e escravizaram.

Raízes de amargura surgem nos momentos mais inoportunos, quando é mais incômodo lidar com elas. Embora sejam inconvenientes, tornam-se mortais se não as tratarmos. Não podemos cometer o equívoco de deixá-las quietas, e não podemos simplesmente arrancar a parte de cima e imaginar que isso impedirá a raiz de se desenvolver; na verdade, ela se fortalecerá. Muitas vezes, contentamo-nos com a mera ilusão de que tudo vai bem e está sob controle quando, na realidade, há uma forte e perigosa tempestade em curso, debaixo da superfície tranquila.

Efésios associa amargura, indignação, ira e toda forma de maldade ao rancor. O segredo para nos livrarmos da raiz de amargura é perdoar aqueles que nos feriram profundamente. Não estou dizendo que é fácil, mas estou dizendo que, se não o fizermos, estaremos sempre em dificuldades. Oramos a nosso Pai: "Perdoa as nossas dívidas, assim como nós perdoamos aos nossos devedores" (Mateus 6:12). Isso significa que estamos pedindo a Deus que nos perdoe da mesma forma e no mesmo grau que perdoamos as outras pessoas. Esse pode ser um problema sério para muitas de nós que não perdoam com sinceridade de coração.

O SEGREDO PARA NOS LIVRARMOS DA RAIZ DE AMARGURA É PERDOAR AQUELES QUE NOS FERIRAM PROFUNDAMENTE.

No Evangelho de Lucas, o versículo diz: "Perdoa-nos os nossos pecados, pois também perdoamos a todos os que nos devem" (11:4). Isso significa que a própria justificação, ou a base para pedirmos perdão, é que tenhamos perdoado *todos* os que pecaram contra nós. Oferecer perdão a outras pessoas é o pré-requisito para que sejamos perdoadas. Somos incentivadas a tratar as outras pessoas com bondade e compaixão, perdoando-as da mesma forma que Deus nos perdoou em Cristo. Isso significa que as liberamos total e completamente, como se não devessem absolutamente nada a nós.

Perdão essencial

> Pois se perdoarem as ofensas uns dos outros, o Pai celestial também lhes perdoará. Mas, se não perdoarem uns aos outros, o Pai celestial não lhes perdoará as ofensas (Mateus 6:14-15).

Não precisamos de uma concordância ou de um comentário bíblico para compreender esses versículos. O argumento central é claro, e é Jesus quem o apresenta. Se perdoarmos os outros, o Pai celestial nos perdoará. O Evangelho de Marcos diz o mesmo: "Mas, se vocês não perdoarem, também o seu Pai que está no céu não perdoará os seus pecados" (Marcos 11:26).

O texto não poderia ser mais claro. O perdão é essencial para que guardemos nosso coração com toda a diligência. Em uma das cartas de Paulo aos coríntios, ele fala como pai e como apóstolo dos cristãos dessa igreja:

> Se vocês perdoam a alguém, eu também perdoo; e aquilo que perdoei, se é que havia alguma coisa para perdoar, perdoei na presença de Cristo, por amor a vocês, *a fim de que Satanás não tivesse vantagem sobre nós; pois não ignoramos as suas intenções* (2Coríntios 2:10-11, grifo da autora).

Qual é a ligação entre Satanás e o fato de Paulo perdoar aqueles que os santos em Corinto perdoaram? Satanás se aproveita daqueles que ficam cegos pela amargura e pelo rancor, e Paulo deseja proteger espiritualmente essa preciosa comunidade de cristãos. Devemos nos lembrar de que a Bíblia é clara: não lutamos contra pessoas. Nossa batalha é contra aqueles que não vemos; guerreamos no âmbito das coisas invisíveis para que possamos viver em paz no âmbito visível.

A batalha para perdoar

> Vistam toda a armadura de Deus, para poderem ficar firmes contra as ciladas do diabo, pois a nossa luta não é contra pessoas, mas contra os poderes e autoridades, contra os dominadores deste mundo de trevas, contra as forças espirituais do mal nas regiões celestiais (Efésios 6:11-12).

NOSSA BATALHA É CONTRA AQUELES QUE NÃO VEMOS; GUERREAMOS NO ÂMBITO DAS COISAS INVISÍVEIS.

Nossa verdadeira batalha não é contra quem nos magoou, mas contra o inimigo eterno de nossa alma. A passagem bíblica a seguir nos dá mais entendimento sobre as regiões sombrias do rancor. Leia o texto como se fosse seu primeiro contato com ele, pois traz uma verdade preciosa e importante acerca do reino.

> Por isso, o Reino dos céus é como um rei que desejava acertar contas com seus servos. Quando começou o acerto, foi trazido à sua presença um que lhe devia uma enorme quantidade de prata. Como não tinha condições de pagar, o senhor ordenou que ele, sua mulher, seus filhos e tudo o que ele possuía fossem vendidos para pagar a dívida. O servo prostrou-se diante dele e lhe implorou: "Tem paciência comigo, e eu te pagarei tudo". O senhor daquele servo teve compaixão dele, cancelou a dívida e o deixou ir (Mateus 18:23-27).

Em nossa cultura, não entendemos como reis tinham poder sobre a vida e a morte; contamos com mecanismos legais, como decretar falência, para escapar de nossas dívidas. Mas, por um momento, coloquemo-nos no lugar desse homem. Imagine o terror em seu coração como servo do rei. Faz semanas que você tem ouvido boatos de que o rei fará um acerto de contas com seus súditos. Você é convocado a ir ao palácio. Tinha esperança de que, de algum modo, sua situação passasse despercebida. Sabia que não administrou devidamente o que lhe foi confiado, mas não esperava que esse dia chegasse. Reconhecia que sua dívida era enorme, mas, de longa data, deixou de calculá-la. Uma coisa é certa: é uma dívida que você não tem como pagar.

Você espera do lado de fora do magnífico salão do trono até chegar sua vez de comparecer diante do rei. Procura se acalmar; talvez ele lhe dê mais tempo. Suas mãos tremem. Você é levado à presença do rei. Sua dívida é maior do que você imaginava. É astronômica! Você não tem recursos. O rei ordena que você, sua esposa, seus filhos e seus bens sejam vendidos, e faz um sinal com a cabeça, dizendo que você está dispensado. Antes que os guardas o segurem e o levem para fora, você se prostra diante do rei e lhe suplica que tenha paciência; declara que você encontrará uma forma de pagar tudo o que deve. Enquanto os guardas erguem você, o rei o observa e vê que você não passa de um homem desamparado e desesperado; ele leva em consideração sua esposa e seus filhos. Sabe que você administrou mal sua dívida, mas percebe sua angústia e seu medo e tem compaixão. Não atende a seu pedido por uma extensão de prazo; em vez disso, cancela a dívida e ordena que os guardas o libertem. Em seguida, ele se levanta e deixa a sala do trono. Todos ficam perplexos. Você devia mais do que todos os outros que o antecederam, mas foi generosamente perdoado.

Ninguém parece saber o que fazer em seguida. Todos acabaram de testemunhar uma extraordinária revelação da bondade de seu rei. A misericórdia triunfou sobre o julgamento. Ainda aturdido com a própria libertação, você começa a rir e chorar. Abraça os guardas surpresos ao seu redor e sai do grande palácio.

Vai para casa, dá a notícia à sua família e todos se alegram. Um fardo inacreditável e insuportável foi removido de seus ombros.

Com o tempo, a terrível ameaça de prisão e a imensa misericórdia do rei se desvanecem de sua memória. Você ainda é grato; afinal, não poderia aproveitar tudo o que tem se não fosse pela bondade do rei. Aliás, desfruta ainda mais essas bênçãos, pois agora são inteiramente suas. O tempo passa e você começa a dizer para si mesmo que o rei deve ter compreendido sua situação e, por isso, o perdoou. Em alguma medida, o rei deve ter percebido que você não merecia ser tratado com tanta severidade. A dívida não paira mais sobre você, como se fosse um pesadelo. Você não deve nada a ninguém, mas há quem lhe deva algo. Nunca mais você deseja se ver em uma situação de tamanha vulnerabilidade. É hora de cobrar aquilo que os outros lhe devem.

> Mas, quando aquele servo saiu, encontrou um de seus conservos, que lhe devia cem denários. Agarrou-o e começou a sufocá-lo, dizendo: "Pague-me o que me deve!". Então o seu conservo caiu de joelhos e implorou-lhe: "Tenha paciência comigo, e eu lhe pagarei". Mas ele não quis. Antes, saiu e mandou lançá-lo na prisão, até que pagasse a dívida (Mateus 18:28-30).

Não é impressionante que o colega do homem use exatamente as mesmas palavras que ele usou ao se dirigir ao rei e suplicar por misericórdia e, ainda assim, o homem se recuse a ouvir? Não apenas exigiu o pagamento da dívida; ele também agarrou o homem pelo pescoço, não teve paciência com ele e mandou lançá-lo na prisão até que a dívida fosse paga. Exerceu plenamente o poder de julgamento do qual ele próprio havia escapado. Teria sido muito fácil para ele ser misericordioso, pois ele fora tratado com misericórdia, mas ele se recusou a fazê-lo. Seu coração já estava endurecido para o bem que lhe haviam feito.

> Quando os outros servos, companheiros dele, viram o que havia acontecido, ficaram muito tristes e foram contar ao seu senhor tudo o que havia acontecido. Então o senhor chamou o servo e disse: "Servo mau, cancelei toda a sua dívida porque você me implorou. Você não devia ter tido misericórdia do seu conservo como eu tive de você?". Irado, seu senhor entregou-o aos torturadores, até que pagasse tudo o que devia (Mateus 18:31-34).

Observe que ele é chamado *servo mau*. Esse homem era servo do rei, mas seu coração não era semelhante ao do rei. O rei tinha esperança de que sua bondade levasse aquele homem ao arrependimento e à compaixão pelas outras pessoas, mas não foi o que aconteceu. A misericórdia do rei havia sido desperdiçada e, portanto, ele voltou a cobrar a dívida. Agora, contudo, em vez de o homem ser vendido, foi entregue aos torturadores para ser atormentado até pagar tudo o que devia, o que jamais aconteceria. O homem foi perdoado, mas depois foi responsabilizado por seus atos. Mas você não precisa da minha opinião; Jesus fornece voluntariamente a interpretação dessa parábola, pois deseja que sua mensagem fique clara:

> Assim também lhes fará meu Pai celestial, se cada um de vocês não perdoar de coração a seu irmão (Mateus 18:35).

Uma dívida impagável

O rei é nosso Pai celestial; nós somos o servo com a dívida impossível de pagar; e nossos irmãos e irmãs em Cristo são os servos companheiros. Cada uma de nós *precisa* perdoar de coração as transgressões alheias. Quando deixamos de perdoar alguém, prendemos essa pessoa com cadeias de culpa e condenação e, em pouco tempo, nós mesmas somos atormentadas. Talvez seja nesta vida, talvez seja na vida por vir.

Sei, por experiência própria, como é viver sob o peso de uma dívida impagável. Quando, finalmente, me tornei cristã, já havia acumulado incontáveis transgressões e ofensas em meu registro. Quando John orou comigo para que eu fosse salva, repeti as palavras dele: "Senhor, confesso meus pecados". Então, eu me voltei para ele com um olhar de pânico e disse:

— Não sei se consigo me lembrar de todos! — Eu sentia medo de que a salvação que estava tão próxima fosse perdida em razão da minha lista interminável de transgressões.

— Você não precisa mencionar cada um dos pecados pelo nome; apenas confesse que pecou — garantiu John, dizendo que nada mais seria necessário. Suas palavras me consolaram, pois eu tinha certeza de que Deus mantinha um registro bem mais exato do que o meu. Eu sabia que era pecadora e que precisava de misericórdia.

SOMOS O SERVO COM A DÍVIDA IMPOSSÍVEL DE PAGAR.

No entanto, não levou muito tempo em minha caminhada cristã para eu perceber que estava guardando rancor de outros cristãos, ou melhor, de meus colegas servos. Sentia que me deviam um pedido de desculpas. No capítulo seguinte, vamos tratar em mais detalhes da armadilha do julgamento. Eu permiti que isso me corroesse. Nesse período, passei por uma intensa guerra espiritual. Eu tinha a sensação constante de que era alvo de ataque — e era mesmo. Eu era uma cristã que havia sucumbido a um ardil do diabo. Gastei um bocado de tempo em oração, atando e soltando amarras, mas de nada adiantou. Estava presa com cordas que eu mesma havia tecido. Por fim, eu me dei conta da verdade: não importava se eu estava certa ou errada. Importava apenas que meu Senhor havia ordenado que eu perdoasse da mesma forma que eu havia sido perdoada; eu estava vivendo em desobediência. Fiquei estarrecida com o tamanho do meu engano. Imaginei que estivesse totalmente certa quando, na verdade, estava completamente errada. Perdoei sinceramente e clamei ao Senhor para que me lavasse mais uma vez no rio purificador de sua misericórdia, e ele me atendeu. Estive presa e estive livre — e estar livre é melhor. Não importa quanto tenhamos de nos humilhar, a liberdade ainda é melhor do que água envenenada.

E você? Cansou de consumir o fruto amargo e venenoso produzido pela raiz da amargura em sua vida? O primeiro passo consiste em sermos honestas e nos arrepender. Temos de dar as costas ao ódio e ao rancor, e deixar que o Grande Jardineiro arranque o ressentimento pela raiz em nosso coração. Embora a amargura prometa nos fortalecer e proteger, na verdade ela nos esgota e contamina nossa vida com Cristo.

ESTIVE PRESA E ESTIVE LIVRE — E ESTAR LIVRE É MELHOR.

Pai celestial,

Dirijo-me ao Senhor em nome de Jesus. Há amargura em meu coração. Enquanto eu dormia, o inimigo semeou o joio. Separe as coisas preciosas das que são vis; as que dão vida das que a esgotam. Renuncio às mentiras de Satanás e a todos os seus ardis em minha vida. Não cederei mais aos seus argumentos, que me contaminam. Revele cada raiz e remova-a de imediato pelo seu Espírito. Mostre-me a quem preciso perdoar. Em obediência, eu os liberto da prisão que criei para eles. Não me devem nada, nem mesmo um pedido de desculpas. Eu os coloco em suas mãos, pois somente o Senhor é justo Juiz.

7. GRANDE ALÍVIO: NÃO SOMOS O JUIZ

"Não julguem, para que vocês não sejam julgados" (Mateus 7:1). O que exatamente significa julgar outras pessoas? Nesse caso, ou com essa conotação, significa "condenar, castigar ou levar em juízo". Quando ficamos iradas ou aborrecidas com um indivíduo ou um grupo, sempre seremos tentadas a passar para o nível seguinte, a raiva, que nos impele a julgar. Queremos rotular o outro, pois, então, poderemos desqualificá-lo como pessoa ou menosprezar o cargo que ele ocupa. Julgar outros também é uma tentativa de nos absolver da culpa.

DEUS PODIA, DE ALGUM MODO, OLHAR PARA MIM E NÃO VER MEU PECADO?

Neste livro, estamos tratando diretamente da ira; logo, é importante sermos práticas. Creio que isso significa apresentar um conceito de uma forma que possa ser aplicado.

Julgamento defensivo

Julgar é um mecanismo de defesa. *Se a ira em sua forma mais pura é descontentamento passageiro, julgamento é rejeição permanente.* Para ilustrar essa ideia, lançarei mão novamente de minha longa lista de falhas.

Comentei anteriormente que meu marido, John, foi quem falou de Jesus para mim. Em 1981, nós dois participamos de um curso de férias da Purdue University. Embora eu não fosse crente, John sentiu claramente que devia me convidar para um café com estudo bíblico organizado por um dos professores. Ao longo dos anos, esse casal temente a Deus havia aberto as portas de sua casa para discipular alunos, dos quais John era um de muitos. Os Blakes permitiram até que John dirigisse o estudo bíblico semanal para que pudesse crescer e se desenvolver em um ambiente seguro e estruturado. Muitos outros estudantes, entre eles algumas adoráveis moças cristãs, frequentavam esse estudo bíblico na casa dos Blakes. Quando John chegou comigo, a descrente do *campus*, todos ficaram espantados. Será que John tinha se desviado? Ele sabia que eu era uma baladeira? Será que eu, o Satanás encarnado, estava tentando derrubar o líder de seu estudo bíblico?

Na verdade, eu era estudante e, para mim, um convite para um café significava "almoço grátis". No início, eu não tinha nenhum interesse romântico em John. Ele era gentil, e eu não costumava sair com rapazes gentis. Lembro que me senti uma alienígena nesse encontro. Todos pareciam falar "crentês", uma língua estrangeira que eu não entendia. Depois da refeição, reunimo-nos na sala de estar para um momento de louvor. Eu não conhecia nenhuma das músicas que eles cantaram, e as folhas com as letras das canções que eles haviam distribuído não eram de grande ajuda. Olhei ao redor para ver se alguém mais estava tão perdido quanto eu. Era um encontro interdenominacional, e alguns dos alunos estavam com as mãos levantadas. Pensei: "Que história é essa? Eles querem perguntar alguma coisa?". Tensa e nada à vontade, comecei a ler as letras das canções. As palavras de uma delas me impactaram: "Ele não vê quem eu era; ele vê Jesus".

Meus pensamentos se aceleraram. Será mesmo? Deus podia, de algum modo, olhar para mim e não ver meu pecado? Podia olhar para mim e não ver tudo o que eu tinha feito? De imediato, eu me senti inundada pela consciência do meu pecado e da minha vergonha; eram como roupas desconfortáveis que me cobriam. Senti o julgamento de Deus e, ao mesmo tempo, a atração do Espírito. Voltei-me para John, que estava cantando. Apontei para as palavras e perguntei: “Isso aqui é verdade? Deus pode olhar para mim e não ver quem eu sou?”.

John garantiu que era verdade, sem fazer a mínima ideia do que estava se passando em meu íntimo. Comecei a ouvir uma voz que eu sempre havia imaginado que fosse a minha consciência: “Não suporto olhar para você”. E eu sabia o motivo. Eu não estava revestida de Cristo. Estava coberta de pecado e mundanidade. E essa percepção foi aumentando, até eu sentir uma espécie estranha de medo e uma batalha por minha alma eterna.

Depois do café e do estudo bíblico, John e eu caminhamos durante algumas horas pelos *campi*, e ele compartilhou as boas-novas comigo. Pela primeira vez, consegui compreendê-las. Todas as peças se encaixavam. Minha vida inteira parecia ter-me encaminhado para aquele momento. Foi algo intenso. Senti que não podia esperar nem mais um segundo. Então, interrompi John: “É isso que eu quero. O que eu preciso fazer? Preciso de uma Bíblia? É preciso acender algumas velas?”.

Depois de John se certificar de que eu compreendia inteiramente o que estava fazendo, ele orou comigo e eu senti como se um peso de duzentos quilos tivesse sido tirado dos meus ombros. Corri até meu quarto no dormitório e passei boa parte da noite procurando na Bíblia o livro de Paulo, pois John havia citado palavras dele com frequência; tinha certeza de que era um livro específico e imaginei que Paulo fosse um dos doze primeiros discípulos.

JULGAR É UMA TENTATIVA DE NOS ABSOLVER DA CULPA.

Na manhã seguinte, enquanto eu arrumava a cama, Deus me mostrou claramente que John seria meu marido. Na época, não foi algo muito dramático. Eu gostava dele; afinal, ele havia compartilhado o evangelho comigo e salvado a minha vida! No entanto, sempre havia me sentido atraída por homens errados por motivos errados. John era, possivelmente, o primeiro homem certo a entrar na minha vida. Enquanto Deus estava trabalhando em mim, também estava falando com John. Pouco mais de um mês depois, ele me pediu em casamento.

Eu tinha certeza de que nosso casamento seria uma bênção. A certeza era tanta, aliás, que eu não me dei o trabalho de prestar atenção aos conselhos que recebemos no curso de noivos. Conselhos desse tipo só eram necessários para os pobres casais que não tinham sido unidos por Deus; não se aplicavam a nós. Era bem provável que jamais tivéssemos problemas. Apenas alguns meses depois de nos casarmos, porém, os conflitos vieram à tona.

A visão do homem perfeito

O fato é que eu tinha, por assim dizer, uma espécie de visão. De lá para cá, descobri que é algo bastante comum no caso de mulheres recém-casadas. Era a visão do homem perfeito. Esse homem da minha visão era bastante parecido com John, mas agia de uma forma completamente diferente. Foi nesse período, como uma jovem recém-casada, que eu descobri meu propósito e minha vocação de vida: eu havia sido escolhida a dedo e colocada na vida de John para transformá-lo de quem ele era no presente para a imagem do homem da minha visão. Uma nova e crucial unção veio sobre a minha vida para cumprir essa tarefa surpreendente. Sem fazer esforço, eu conseguia enxergar cada um dos defeitos do meu marido. No início, tentei a persuasão gentil, mas, quando isso não deu certo, minhas táticas se tornaram mais incisivas. Eu tinha de guiá-lo rumo ao homem perfeito. No entanto, John não estava colaborando nesse processo. Na verdade, estava até mesmo resistindo. Ele tinha suas próprias visões, que, por acaso, incluíam a minha transformação. Foi então que as brigas começaram pra valer.

Eu estava tentando mudar John, e ele estava tentando me mudar. Nosso casamento idílico se transformou em um campo de batalha entre duas pessoas temperamentais. Faíscas voavam enquanto ferro tentava afiar ferro. Nossas batalhas também revelaram algo mais a meu respeito. John e eu tínhamos abordagens bem diferentes ao conflito. John atacava os problemas; eu atacava as pessoas. Então, esse homem maravilhoso que tinha me levado ao Senhor agora era problema meu, e eu não estava jogando limpo. Se John me magoava, eu o castigava. Xingava, não perdoava, não lhe dava afeto e quebrava coisas. (Lembra-se do prato que voou pela janela?) Eu queria magoá-lo porque ele havia me magoado. O que ele fazia não vem ao caso.

Quando John me magoava, eu o julgava; queria afastá-lo do meu coração, na tentativa inútil de me proteger de outros ataques.

JULGAMOS OS OUTROS PARA TENTAR JUSTIFICAR NOSSO RANCOR OU NOSSA RAIVA DELES.

Por exemplo, quando ele fazia algo que me aborrecia demais, eu o chamava de idiota e usava outros adjetivos ainda menos "redimidos". Em minha mente, se eu o rotulasse como idiota, não teria de lidar com ele naquela área específica. Ao usar nomes feios para ele, eu o desqualificava ou depreciava sua opinião. Não lhe dava afeto nem perdão porque o havia julgado e considerado indigno do meu amor, da minha atenção ou do meu perdão naquele momento. A parte mais triste é que, se esses incidentes se acumulam, deixam de ser rejeição em áreas isoladas; nós passamos a rejeitar a pessoa como indivíduo. Julgamos os outros para tentar justificar nosso rancor ou nossa raiva deles.

Julgue as ações, não o coração

> Vocês ouviram o que foi dito aos seus antepassados: "Não matarás" e "quem matar estará sujeito a julgamento". Mas eu lhes digo que qualquer que se irar contra seu irmão estará sujeito a

> julgamento. Também, qualquer que disser a seu irmão: "Racá", será levado ao tribunal. E qualquer que disser: "Louco!", corre o risco de ir para o fogo do inferno (Mateus 5:21-22).

Mais uma vez, Jesus estabeleceu um paralelo entre homicídio e ódio. Seu objetivo era mostrar a nós que, debaixo da Lei de Moisés e do sistema terreno de justiça, homicídios são passíveis de julgamento; em seguida, Jesus apresenta a perspectiva de Deus. Aqueles que se iram sem motivo correm o risco de ser julgados. Convém lembrar novamente que temos permissão de nos irar quando há uma causa, mas não de ser destrutivas ou punitivas. Em seguida, Jesus mostra a progressão e dá um exemplo prático: sob a lei judaica, chamar um irmão "Racá!" colocava a pessoa em risco de prestar contas ao conselho das autoridades; sob a lei do reino, chamar alguém de "Louco!" a colocava mais perto das chamas do inferno.

Para captar essa dinâmica, temos de entender as palavras aqui usadas. O comentário de Matthew Henry traz a seguinte explicação: *Racá* "é um termo que expressa desprezo". Significa "seu sujeito vazio"; refere-se a alguém sem juízo. *Racá* podia ser usado de modo brando, para fazer alguém recobrar o juízo. Considerava que o comportamento do indivíduo era insensato. O termo foi usado dessa maneira por Jesus, Tiago e Paulo. Quando vinha de um coração cheio de raiva, maldade ou mentira, porém, era uma afronta à pessoa. Esse tipo de comentário tornava os israelitas passíveis de disciplina do Sinédrio por insultar um compatriota.

TEMOS PERMISSÃO DE NOS IRAR QUANDO HÁ UMA CAUSA, MAS NÃO DE SER DESTRUTIVAS OU PUNITIVAS.

O termo "tolo", em contrapartida, não se referia a alguém desprovido de juízo, mas a alguém desprovido de graça. Era maldoso e nascia do ódio. Considerava o outro não apenas desprezível e indigno de honra, mas também vil e indigno de amor. Atacava a condição espiritual do indivíduo ao censurá-lo, condená-lo e vê-lo como alguém abandonado por Deus.

Diante disso, é fácil entender por que o indivíduo que chama seu irmão de tolo se torna passível de julgamento divino, pois ele próprio se coloca na posição de juiz do coração do outro, e não apenas de suas ações. Uma coisa é dizer que alguém agiu de modo insensato; outra bem diferente é dizer que ele foi rejeitado por Deus e é irredimível.

O clamor por justiça

Por que, então, temos tanta facilidade de julgar e tanta dificuldade de não o fazer? Para começar, como seres humanos criados à imagem de Deus, temos o desejo inato de ver aquilo que é certo prevalecer. Nossa parte redimida clama para que a justiça seja feita. Deus, nosso Pai, compreende isso e foi ele quem criou e definiu o modelo para nosso sistema judicial: "Nomeiem juízes e oficiais para cada uma de suas tribos em todas as cidades que o Senhor, o seu Deus, lhes dá, para que eles julguem o povo com justiça" (Deuteronômio 16:18).

Deus sabe que, onde há duas pessoas ou mais, há potencial para conflito. Também sabe que ambos os lados permanecem irredutíveis e pensam que estão certos. Portanto, ele tomou as providências necessárias para lidar com essas situações. Os filhos de Israel haviam acabado de sair da escravidão do Egito, onde muito provavelmente tinham visto desavenças sendo resolvidas por meio de violência ou intimidação. Ainda não contavam com um modelo saudável de resolução de conflito. Não é essa a situação da maioria de nós?

Haviam passado a vida toda no Egito, sujeitos a suas regras e seus estatutos e, agora, procuravam viver debaixo da nuvem da proteção e da presença de Deus. No entanto, nosso Deus é santo e justo, amoroso e temível. Em nada se assemelha às imagens de pedra e aos ídolos que eles tinham como deuses antes de encontrar o único e verdadeiro Deus vivo. Como nosso Deus, precisamos servir em espírito e em verdade.

POR QUE TEMOS TANTA FACILIDADE DE JULGAR E TANTA DIFICULDADE DE NÃO O FAZER?

Portanto, Deus instruiu Moisés, por meio de seu sogro, Jetro: "Escolha dentre todo o povo homens capazes, tementes a Deus, dignos de confiança e inimigos de ganho desonesto. Estabeleça-os como chefes de mil, de cem, de cinquenta e de dez" (Êxodo 18:21). Para que esses homens fossem considerados capazes, primeiro tinham de temer a Deus e se mostrar confiáveis, e não interessados em se beneficiar pessoalmente de seu cargo. Deviam, então, ser nomeados como responsáveis pelas diferentes divisões do povo.

> *Sempre que o* Senhor *lhes levantava um juiz, ele estava com o juiz* e os salvava das mãos de seus inimigos enquanto o juiz vivia; pois o Senhor tinha misericórdia por causa dos gemidos deles diante daqueles que os oprimiam e os afligiam (Juízes 2:18, grifo da autora).

O Senhor Deus honrava essas nomeações ao colocar sua mão sobre a vida do juiz. Sempre que Deus levantava um juiz, estava com ele em sabedoria e proteção. Debaixo da antiga aliança, Deus provia sua sabedoria e revelava sua vontade por meio da estrutura constituída desses juízes. Creio que ele colocava uma porção de seu Espírito nesses juízes para que pudessem entender a lei e os estatutos, e ter o entendimento necessário para julgar o povo de Deus de forma imparcial. Ainda assim, porém, os juízes nomeados por Deus julgavam somente as ações das pessoas e, então, executavam fielmente a vontade de Deus, e não deles próprios. Eram um modelo e uma prefiguração da nova maneira de viver à qual Cristo nos conduziu.

Debaixo da nova aliança, não temos mais as ordens constituídas dos juízes, pois recebemos um novo Mediador.

> E eu pedirei ao Pai, e ele lhes dará outro Conselheiro para estar com vocês para sempre, o Espírito da verdade. O mundo não pode recebê-lo, porque não o vê nem o conhece. Mas vocês o conhecem, pois ele vive com vocês e estará em vocês (João 14:16-17).

DEUS SABE QUE, ONDE HÁ DUAS PESSOAS OU MAIS, HÁ POTENCIAL PARA CONFLITO.

A luta para não julgar

Ainda lutamos continuamente para não julgar as outras pessoas. Gostamos de colocar tudo em caixas bem organizadas. Quando sabemos o que cabe em cada compartimento, sentimo-nos ainda mais seguras, de modo semelhante aos fariseus. Lembro-me de ser atormentada em pensamento por uma situação que ocorreu quando eu ainda estava no início da caminhada com Cristo. Não conseguia categorizar os acontecimentos de maneira nenhuma.

Conhecíamos um casal cristão que atuava no ministério. Esposa e marido viajavam e trabalhavam juntos, dando testemunho público de que tinham sido unidos por Deus. Eu tive a oportunidade de passar algum tempo com ambos e senti que os dois amavam Deus e as pessoas de todo o coração. De repente, porém, surgiram vários rumores desagradáveis a respeito desse casal e, antes que nos déssemos conta, os dois estavam bem no meio de um processo de divórcio. Não houve adultério; ao que parece, simplesmente faltava compatibilidade ao casal. Eu perdi o chão. Estava lidando com dificuldades em meu casamento e confiando que Deus nos ajudaria a resolver os conflitos, pois ele nos havia unido. Esse casal, que dizia também ter sido unido por Deus, desistiu do casamento e, em pouco tempo, a esposa se casou com outra pessoa.

Minha confiança de que Deus poderia fazer algo no meu casamento foi abalada. Meu impulso foi encontrar algum tipo de defeito nesse casal. Se eu conseguisse desqualificá-los, poderia espremê-los dentro de uma caixa. Afinal, eu sabia de passagens nas Escrituras que justificavam meu posicionamento. A Bíblia diz que quem se divorcia por algum motivo que não seja infidelidade comete adultério. No entanto, não me parecia apropriado usar esse rótulo para esse casal. Eu os amava e queria compreender o que havia acontecido, mas não fazia sentido algum para mim.

AINDA LUTAMOS CONTINUAMENTE PARA NÃO JULGAR OUTROS.

Sem citar nomes, descrevi o tumulto em meu coração para um pastor sábio e piedoso. Preparei-me, então, para uma longa e profunda explicação bíblica. Em vez disso, porém, ele se limitou a suspirar e disse: “Esse é um caso difícil. Que bom que não preciso julgá-lo!”.

No mesmo instante, senti que o peso da situação foi removido de mim. Suas palavras simples me libertaram de meu fardo. Ele tinha razão. Eu havia permitido que Satanás instigasse meu coração para que eu julgasse outras pessoas e duvidasse da fidelidade de Deus em relação a mim. Eu estava comparando meu casamento com o deles e limitando Deus naquilo que ele podia fazer em meu relacionamento com John. Nesse caso, não estava julgando por ira, mas por medo.

Vários anos atrás, John e eu levamos um grupo de jovens para a ilha de Trindade, no Caribe, onde trabalhamos com uma igreja local e demos testemunho nas ruas e de casa em casa. Isso foi logo depois dos escândalos de Jimmy Swaggart e Jim Bakker,[1] e nós ouvimos de todos os lados questionamentos sobre a integridade desses homens. A princípio, isso nos incomodou, mas, a certa altura, algo me ocorreu: “Espere um pouco! Jimmy Swaggart e Jim Bakker não têm nenhuma relação com o

[1]Jimmy Swaggart e Jim Bakker foram conhecidos líderes e televangelistas americanos que tiveram impacto significativo na cena religiosa dos Estados Unidos. No entanto, no final da década de 1980, ambos estiveram envolvidos em escândalos sexuais que abalaram suas respectivas carreiras. (N. E.)

que estamos pregando". Então, eu pude responder sem hesitar: "Esses homens não morreram por nossos pecados. Jesus morreu por nós. Eles não têm nada a ver com aquilo que estamos dizendo. Pare de inventar desculpas".

Muitas vezes, julgamos outras pessoas para reduzir a pressão que nós mesmas sentimos. Quando eu brigava com John, era extremamente dura com ele. Mas sabe com quem eu era mais dura? Comigo. Eu atacava John para me justificar e para desviar a atenção dos meus defeitos. Se eu pudesse mostrar claramente que ele era imperfeito, eu não me sentiria tão mal por não ser perfeita. O problema é que, quando julgamos, também nos sujeitamos a ser julgadas.

> Assim, quando você, um simples homem, os julga, mas pratica as mesmas coisas, pensa que escapará do juízo de Deus? Ou será que você despreza as riquezas da sua bondade, tolerância e paciência, não reconhecendo que a bondade de Deus o leva ao arrependimento? (Romanos 2:3-4).

Como meros seres humanos, fazemos as mesmas coisas das quais acusamos as outras pessoas. Acabamos trazendo sobre nós exatamente aquilo que procuramos evitar. Deus diz que, quando julgamos os outros, na verdade estamos demonstrando desprezo por sua misericórdia e bondade. Ele nos lembra de que foi sua bondade que conduziu ao arrependimento.

Embora vivamos em uma cultura que nos programou para julgar, devemos dar ouvidos à admoestação de Paulo para que os cristãos se comportem de uma forma diferente.

> Digo isso para envergonhá-los. Acaso não há entre vocês alguém suficientemente sábio para julgar uma causa entre irmãos? Mas, em vez disso, um irmão vai ao tribunal contra outro irmão, e isso diante de descrentes! O fato de haver litígios entre vocês já significa uma completa derrota. Por que

> não preferem sofrer a injustiça? Por que não preferem sofrer o prejuízo? (1Coríntios 6:5-7).

Observe que ainda nos é permitido julgar desavenças, mas Paulo incentivou a igreja a escolher membros sábios como árbitros a fim de evitar que sua causa fosse apresentada em um tribunal pagão, não constituído por crentes. Seu maior desejo, contudo, era que nem sequer houvesse litígio entre os cristãos. Era preferível que sofressem a injustiça cometida por outro irmão a se esforçarem tanto para garantir os próprios direitos.

ACABAMOS TRAZENDO SOBRE NÓS EXATAMENTE AQUILO QUE PROCURAMOS EVITAR.

Também nesse caso, há semelhança com as brigas que eu tinha com meu marido. Não há nada de errado em querer trazer inconvenientes à tona, desde que eu ataque o problema, e não a pessoa. No início, essa abordagem requer um bocado de prática. Precisamos aprender a enxergar o que estamos fazendo. Em minha experiência, descobri que sou mais rápida para me defender do que para ter consciência das minhas ações. Portanto, nem sempre sou o juiz mais confiável do meu próprio comportamento. Preciso da intercessão daquele que é muito mais sábio e imparcial na situação.

O problema do orgulho

> O orgulho só gera discussões, mas a sabedoria está com os que tomam conselho (Provérbios 13:10).

Meu orgulho muitas vezes me impedia de ceder, mesmo quando eu sabia que estava errada. Se o orgulho é solo fértil para brigas, a humildade é o ventre no qual se desenvolve a reconciliação. Sempre que me humilho, vejo cura e perdão nascerem onde, antes, pareciam impossíveis. Há muitas maneiras de nos humilharmos, mas julgar as outras pessoas não é uma delas. Quando julgamos os outros, não estamos nos rebaixando, mas, sim, nos exaltando, como se fôssemos superiores quanto à posição, à percepção ou à inteligência.

O melhor testemunho que podemos dar é caminhar em amor e perdão, sem impor nossos direitos sobre as outras pessoas. Isso só acontece quando permitimos que o Espírito Santo intervenha em nosso favor e nos arrependemos da tendência de nos elevar à posição de juízes.

SE O ORGULHO É SOLO FÉRTIL PARA BRIGAS, A HUMILDADE É O VENTRE NO QUAL SE DESENVOLVE A RECONCILIAÇÃO.

No capítulo seguinte, abordaremos uma questão que precisa estar resolvida em nosso íntimo. É tentador acreditar que estamos sendo julgadas. Peço a Deus que você experimente libertação em todas as áreas de sua vida em que há julgamento.

> Portanto, você, por que julga seu irmão? E por que despreza seu irmão? Pois todos compareceremos diante do tribunal de Deus (Romanos 14:10).

Querido pai celestial,
Dirijo-me ao Senhor em nome de Jesus. Arrependo-me de ceder à pressão e de cair na armadilha de julgar as outras pessoas. Perdoe-me e purifique-me. Liberte-me em todas as áreas da vida em que essa conduta me colocou debaixo de seu julgamento ou do julgamento humano. Humilho-me e arrependo-me de meu orgulho e de minha insensatez. Somente sua misericórdia pode triunfar sobre qualquer julgamento, e peço humildemente que sua misericórdia cubra meus erros e abra meus olhos. Desejo a verdade, e não suspeitas. Desejo o temor santo do Senhor, e não o medo das pessoas. Faça a luz de sua verdade brilhar sobre todas as áreas de escuridão dentro de mim.

8. DEUS ESTÁ IRADO COM AS MULHERES?

Talvez essa pergunta pareça estranha em um livro que trata da ira pessoal *em* mulheres. Creio, porém, que é sempre difícil abrir mão da ira quando imaginamos que somos o alvo da ira de outrém.

Antes de eu ser salva, imaginava Deus nas nuvens, com um livro de registro em que anotava todos os meus pecados e atos de insensatez. Cada transgressão era seguida de um X. Deus estava zangado comigo e mais que preparado para me lançar no inferno. A mim, parecia que não restava nenhum caminho para a reconciliação. Eu havia pecado repetidas vezes, e não tinha como apagar meus atos perversos.

Imagine meu espanto quando John me disse que Deus o instruíra a me convidar para sair. Foi, no mínimo, uma surpresa descobrir que Deus tivesse algum pensamento a meu respeito que não envolvesse planos para meu julgamento inescapável. Ouvir, então, que Deus me amava era algo que ia muito além do meu entendimento. Diante dessa bela misericórdia, eu me entreguei aos seus cuidados. Nunca me passou pela cabeça que essa dinâmica tivesse alguma relação com minha feminilidade.

É SEMPRE DIFÍCIL ABRIR MÃO DA IRA QUANDO IMAGINAMOS QUE SOMOS O ALVO DA IRA DE OUTRÉM.

No entanto, comecei a frequentar igrejas, congressos e encontros de vários tipos, onde, então, ouvi coisas que enevoaram minha visão do amor de Deus por mim. De algum modo, eu tinha a impressão de haver recebido redenção como uma cidadã de segunda categoria do reino. Quero deixar claro que ninguém disse isso abertamente; ainda assim, era uma ideia presente nas entrelinhas: mulheres não são dignas de confiança e dificilmente são redimidas.

Uma mulher piedosa?

Eu ainda estava na faculdade quando, pela primeira vez, me senti confusa a esse respeito. Viajei do Arizona para Houston a fim de participar de um congresso no feriado de Ação de Graças. Fazia quatro meses que eu era cristã e estava empolgada e ansiosa para participar desse evento com pessoas que compartilhavam da mesma fé preciosa. Eu ansiava por ouvir verdades libertadoras da Palavra de Deus. Até então, a luta havia sido solitária. Desejava fortemente agradar ao meu pai Celestial e, portanto, abri meu coração e peguei caneta, papel e a Bíblia com meu nome gravado na capa. Não estava preparada, contudo, para o que ouviria. Depois de um momento de louvor, durante o qual chorei, o pastor se levantou e começou com uma oração. Em seguida, ele pediu que todos se sentassem. Chamou sua esposa para subir no palco. Inclinei-me para a frente, para tentar vê-la melhor. Eu estava distante do palco, mas tinha a esperança de aprender algo.

Então, eu vi aquela bela e elegante mulher subir em um palco cercado por milhares de pessoas. Enquanto ela estava ao lado do marido, ele fez uma série de piadas humilhantes, a maioria a respeito dela. A esposa respondeu com bom humor. Muitos na plateia riram, mas eu comecei a me sentir mal. As brincadeiras dele pareciam mais incisivas do que as dela.

Era como se ela conhecesse seus limites, enquanto ele não os tinha. Logo descobri o motivo.

— Vocês sabem por que nós, homens, precisamos das mulheres? — perguntou ele, em tom de gracejo, aos presentes. Comecei a pensar em uma resposta séria e imaginei que ele fosse dizer algo elogioso depois de depreciar a inteligência e o valor da esposa. — Se não fosse por elas, os homens ainda estariam no Jardim.

A plateia desandou a rir. Olhei ao redor. Homens e mulheres gargalhavam. Será que eu era a única pessoa perplexa e constrangida com esse comentário? Será que havia saído de um mundo de humilhação só para ser alvo de gozação em outro? Olhei para o casal sentado perto de mim e do John. Os dois estavam rindo. Olhei para John. Ele percebeu que eu me sentia confusa e aborrecida. Meu rosto estava quente e senti lágrimas tentarem escapar. Voltei-me para John e disse: "Vou ao banheiro". Tive a sensação de que todos repararam em mim e de que tinha sobre os ombros uma bandeira de excluída e rebelde.

No banheiro, olhei ao redor novamente e tive a impressão de que havia sido a única a ficar chateada com aquele comentário. Provavelmente era uma daquelas coisas que eu precisava superar. Voltei para o culto, prestei atenção e fiz anotações, mas, a mim, estava faltando algo. As palavras do pastor não passavam de letras no papel. Minha confiança havia sido traída e eu estava com medo de permitir que a mensagem dele entrasse no meu coração.

EU GRITAVA POR DENTRO, E ELE FALAVA TERNAMENTE COMIGO.

Ao voltarmos para casa, perguntei a uma amiga que estava no carro conosco se o pastor e a esposa sempre tratavam um ao outro daquela forma. Ela disse que sim e garantiu que era apenas brincadeira. John e eu havíamos acabado de ficar noivos, e eu estava reavaliando meus conceitos sobre casais cristãos. Queria algo mais do que aquilo que tinha acabado de ver.

No dia seguinte, em vez de participar do culto com John, inventei uma desculpa e fui ajudar como voluntária no berçário. Enquanto eu confortava e ninava bebês chorosos em meus braços, era mais fácil imaginar que Deus me amava. Ao segurá-los e vê-los se acalmar com minha voz terna, pensei em como Deus se sentia a meu respeito. Eu gritava por dentro, e ele falava ternamente comigo. Eu era sua filha; ele era meu Pai. Lágrimas brotaram novamente em meus olhos enquanto eu segurava um bebê que havia pegado no sono. Havia tanta coisa que eu não entendia, mas o amor de Deus era inquestionável.

Um casamento piedoso?

Alguns meses depois de John e eu nos casarmos, um casal rico da igreja nos convidou para jantar. Na época, estranhei um pouco, mas parecia que eles queriam mentorear John e a mim a respeito do casamento. Nós quatro estávamos sentados na sala de estar deles antes do jantar. Sempre que eu fazia uma pergunta ou um comentário, era completamente ignorada. Se eu dizia ou perguntava algo, o marido se dirigia a John: "E então, o que você pensa de..." e mudava de assunto. A princípio, imaginei que ele tivesse algum problema auditivo ou que fosse apenas algo casual. Logo percebi, contudo, que era intencional. John tentou me incluir na conversa, mas nosso anfitrião não quis saber. Passado algum tempo, a esposa levantou-se sorrateiramente de seu lugar perto dele e foi para a cozinha. Eu a segui, sem entender o que estava acontecendo.

— Posso ajudar com alguma coisa? — ofereci, pois me sentia total e propositalmente desconsiderada.

— Não, está tudo pronto — respondeu ela, em um tom gentil, mas firme. Evidentemente, eu tinha dito ou feito algo que não havia agradado. Fiquei ainda mais sem graça e comecei a imaginar que talvez fosse melhor sentar-me em silêncio na sala do que ficar na cozinha sem fazer nada. Quando estava saindo daquela cozinha sofisticada, a esposa ordenou de forma ríspida:

— Fique aqui!

Voltei-me para ela, surpresa. O que estava acontecendo? Não podia ajudar na cozinha *nem* conversar na sala? Observei enquanto a mulher, que vestia roupas de grife e usava joias, terminava de preparar o *coq au vin*. Ela parecia ter cerca de 50 anos; eu tinha 22 anos. Em um tom irritado, mas contido, ela explicou:

— Você não deve falar com os homens enquanto eles não se dirigirem a você. Seu lugar é na cozinha, ao meu lado.

Fiquei um tanto abismada. Será que tinha ouvido direito? Devo ter parecido perplexa, pois ela me perguntou sem rodeios:

— Você quer ter um bom casamento ou não?

Sua pergunta só me deixou ainda mais confusa. Eu estava casada havia apenas dois ou três meses. Com certeza não era especialista no assunto; a essa altura, mal tínhamos começado a construir um casamento, muito menos um casamento ruim... Claro que eu queria ser uma boa esposa.

— Sim, eu quero ter um bom casamento — gaguejei, sentindo-me ridícula.

Ela empurrou a travessa com o frango de volta no forno e ordenou que eu me sentasse. Lutei contra a tentação de perguntar quanto tempo ainda ia levar para o jantar ficar pronto e sentei-me obedientemente. Naquela noite, ela me disse uma porção de coisas que, supostamente, Deus havia ensinado a ela. Algumas eram tão tolas e desagradáveis (e até mesmo de natureza sexual) que não vou me dar o trabalho de repeti-las nestas páginas. Mas aqui vai uma amostra: fui instruída a sentar-me sempre em um lugar abaixo do meu marido. Se ele estava em uma cadeira ou poltrona, eu devia sentar-me no chão. (Imaginei que essa instrução não poderia ser aplicada na sala de jantar, onde todas as cadeiras pareciam ser da mesma altura.)

Percebi que havia quebrado essa regra ao ter a ousadia de me sentar ao lado do meu marido no sofá quando chegamos. Então era por isso que ninguém me respondia! Ela prosseguiu com sua transmissão de sabedoria. Se, em algum momento, eu tivesse vontade de retrucar algo que meu marido dissesse, deveria procurar de imediato um vaso sanitário e ajoelhar-me diante dele. O objetivo desse exercício era me lembrar de meu lugar e impedir um eventual acesso de raiva insensato aflorar em mim. As únicas ocasiões em que eu havia me ajoelhado diante de um vaso sanitário haviam sido por causa de náuseas — algo que eu estava sentindo naquele instante.

O sexo era reduzido a um dever que não incluía, necessariamente, meu prazer. Criei coragem e questionei seu conselho nessa área.

— Por que Deus teria criado homens *e* mulheres com a capacidade de ter prazer se ele quisesse que fosse bom apenas para os homens?

— Você deve fazer sexo sempre que seu marido desejar, quer você goste ou não! — retrucou ela.

— Uma situação dessas não causa ressentimento? — perguntei.

— Se isso acontecer, ajoelhe-se junto do vaso — explicou ela.

Percebi que, se eu seguisse o sistema dela, passaria um bocado de tempo diante do vaso. Resolvi que era melhor não discutir mais. Ela não estava de brincadeira!

Felizmente, o jantar ficou pronto, e John e eu, ambos pouco à vontade, nos acomodamos nos lugares indicados. Passei todo o jantar no mais absoluto silêncio, procurando não cometer novas transgressões. John também parecia constrangido. Comecei a ficar apreensiva ao imaginar as instruções que ele havia recebido enquanto eu ouvia o sermão na cozinha. Logo depois do jantar, dissemos que precisávamos ir embora e, em meio a chuva e frio, corremos até o carro. Havia um enorme peso sobre nós dois.

— Que visita mais estranha! Você reparou que eu não podia falar e que o marido foi mal-educado? — perguntei.

John parecia pensativo.

— É, foi meio estranho mesmo, mas talvez ele só quisesse conversar a sós comigo, de homem para homem.

— Há maneiras de fazer isso sem ser indelicado — retruquei. — O que ele perguntou para você depois que eu saí da sala? — eu quis saber.

— Uma porção de coisas — respondeu John.

— Ele fez perguntas pessoais a meu respeito, tipo, sobre nossa vida sexual? — perguntei com um misto de constrangimento e medo.

— Sim. Foi esquisito — reconheceu John.

— Esses dois são estranhos demais. Não teve cabimento eles nos separarem para fazer perguntas sobre nossa vida pessoal!

— Eles têm boas condições de vida e são importantes na igreja. Estavam apenas tentando ser simpáticos. — John estava defendendo os dois ou se sentia tão confuso quanto eu?

Fui para a cama me sentindo apreensiva. E se o casamento havia sido um subterfúgio para me colocar em uma situação horrível de opressão? Será que outras mulheres cristãs seguiam essas regras? Talvez fosse como na associação de moças da universidade, em que rituais e significados secretos eram revelados durante a iniciação. John parecia um pouco distante. Talvez ele tivesse pedido para a esposa falar comigo. Afinal, era um excelente sistema para os homens. Meu cérebro excessivamente imaginativo trabalhava em velocidade máxima e, ao amanhecer, eu estava certa de que era uma esposa escravizada.

Quando me levantei, John já havia saído para o trabalho. Arrumei-me às pressas e fui para o escritório da igreja, onde eu trabalhava no departamento financeiro. Sentia-me tão pesada e desalentada que comecei a chorar no caminho para o escritório e não consegui parar. Chorei a manhã inteira junto à minha mesa. Se alguém me perguntava qual era o problema, eu apenas acenava negativamente com a cabeça. Por fim, minha chefe veio conversar comigo: "Lisa, você passou a manhã inteira chorando. O que está acontecendo?".

Antes que eu pudesse me conter, relatei a ela todos os detalhes, exceto o nome do casal que nos convidara para jantar. Ela ouviu com certa incredulidade, mas eu não consegui identificar se era em relação à forma que eu tinha reagido ou àquilo que eu havia relatado.

— Fique aqui e procure se recompor — disse ela antes de sair. Então, voltou alguns minutos depois, com a esposa do pastor. Fiquei apavorada, mas foi sem motivo.

— Quem lhe disse todas essas besteiras? — perguntou a esposa do pastor.

Hesitei ao lembrar em que medida o casal era importante na igreja. Eu era uma membra humilde, eles eram cheios de grana.

— Quero saber quem disse isso! — exigiu ela. Quando contei, ela ficou furiosa. Explicou que os dois eram recém-convertidos e não tinham condições de instruir ninguém. Estavam casados fazia apenas um ou dois anos; ela era a terceira esposa dele e ele era o segundo marido dela. — Só porque eles têm dinheiro, não significa que sabem tudo sobre as coisas de Deus!

Não se passaram nem dois anos e aquele casal se divorciou. Pelo jeito o sistema de se ajoelhar junto ao vaso não funcionava.

MINHA OPINIÃO NÃO IMPORTA; A PALAVRA DE DEUS É A AUTORIDADE FINAL.

Apresentei anteriormente dois exemplos de abuso de mulheres com o suposto "respaldo" de Deus. Um caso mais leve e outro mais grave. Infelizmente, os dois tipos são extremamente comuns. Por que as mulheres riem de comentários incisivos contra seu gênero feitos pelos líderes de quem elas esperam receber treinamento, proteção e orientação? Será que elas têm medo de não rir?

Temo que o problema seja mais profundo. Em alguma medida, elas acreditam que esses comentários sejam verdadeiros e, portanto, que elas mereçam o abuso que sofrem.

Eu aprendi uma coisa: minha opinião não importa; a Palavra de Deus é a autoridade final. Deus está irado com as mulheres? O Criador do Universo guarda algum rancor de nós? Busquemos a resposta em sua Palavra.

Um marido amoroso

> Pois o seu Criador é o seu marido, o Senhor dos Exércitos é o seu nome, o Santo de Israel é seu Redentor; ele é chamado o Deus de toda a terra. O Senhor chamará você de volta como se você fosse uma mulher abandonada e aflita de espírito, uma mulher que se casou nova, apenas para ser rejeitada, diz o seu Deus. "Por um breve instante eu a abandonei, mas com profunda compaixão eu a trarei de volta. Num impulso de indignação escondi de você por um instante o meu rosto, mas com bondade eterna terei compaixão de você", diz o Senhor, o seu Redentor. "Para mim isso é como os dias de Noé, quando jurei que as águas de Noé nunca mais tornariam a cobrir a terra. De modo que agora jurei não ficar irado contra você, nem tornar a repreendê-la. Embora os montes sejam sacudidos e as colinas sejam removidas, ainda assim a minha fidelidade para com você não será abalada, nem a minha aliança de paz será removida", diz o Senhor, que tem compaixão de você (Isaías 54:5-10).

Nosso Pai maravilhoso compara a redenção que ele nos dá ao amor de um marido por sua esposa. Ele poderia ter dito: "Seu Criador é seu Pai", mas não o fez. Ele se apresenta como um marido amoroso que restaura sua esposa rebelde. Em seguida, compara a certeza de sua promessa à certeza daquilo que ele prometeu a Noé: "Embora os montes sejam sacudidos e as colinas sejam removidas, ainda assim a minha fidelidade para com você não será abalada, nem a minha aliança de paz será removida". Não importa quão intensamente nossa vida seja sacudida, o amor de Deus por nós jamais vacilará. Precisamos ter essa questão resolvida em nossa mente de uma vez por todas.

Essa passagem não vem acompanhada de ressalvas. A promessa é para todos! Não exclui mulheres solteiras, divorciadas, estéreis ou viúvas. A promessa também abrange todas as faixas etárias. É proferida em um tom afetuoso e terno. É a voz de Deus falando a pessoas amadas e preciosas. Ele pronuncia paz às mulheres. Receba essa paz e deixe que ela acalme sua ira e seu medo.

Nós temos a oportunidade de servir e cuidar. Mas, quando vivemos sob medo constante do descontentamento de nosso Pai celestial, cansamo-nos de fazer o bem. Tememos que nenhum esforço seja bom o bastante, que nenhum sacrifício seja grande o suficiente. Lembre-se de que a graça não se baseia naquilo que fazemos, mas, sim, no que foi feito por nós. Nenhuma de nós poderia ter uma vida suficientemente agradável a Deus, obediente a todos os seus estatutos. Precisamos ser mulheres segundo o coração de Deus, mas não o buscaremos se temermos sua rejeição e sua cólera. Esse medo cria um ambiente carregado de frustração e, inevitavelmente, de ira. Deus quer libertar suas filhas desse fardo pesado que as oprime e as deixa em estado constante de exasperação.

RECEBA A PAZ DE DEUS E DEIXE QUE ELA ACALME SUA IRA E SEU MEDO.

O simples fato de que Jesus voltará para buscar sua noiva reforça o terno amor de Deus pelas mulheres. Se fôssemos algo inferior a companheiras que completam o homem, Deus não teria escolhido o relacionamento íntimo entre marido e esposa para ilustrar o grande mistério de Cristo e de sua igreja.

Pai celestial,

Dirijo-me ao Senhor no precioso nome de Jesus. Sei que permiti que uma mentira se infiltrasse em meu coração e tirasse a paz de meu relacionamento com o Senhor. Creio naquilo que o Senhor declarou. Creio que o Senhor existe e é verdadeiro, bom e justo. Por favor, remova qualquer vestígio da mentira de que o Senhor está irado comigo porque sou mulher. Sou mulher em virtude de seus planos e de seus propósitos. Não é algo de que deva me ressentir ou me envergonhar. É algo a ser celebrado, pois sou formada de modo especial e admirável. Remova toda a vergonha, toda a culpa e todos os estereótipos de minha mente. Renove em mim um espírito estável, e grave em meu espírito que tipo de mulher o Senhor quer que eu seja. Eu perdoo aqueles que me caluniaram por preconceito e ignorância; eles não sabiam o que estavam fazendo. Senhor, restaure e reconcilie homens e mulheres, para que possam voltar a viver no jardim frutuoso de seu amor.

9. IRADA DE NASCENÇA

Creio que sou irada de nascença. Ou será que devo dizer que nasci cheia de paixão e pronta para o que der e vier? Minha mãe conta uma história de quando eu tinha dois anos. Eu estava brincando na neve, mas o frio era intenso, e minha mãe logo me levou para dentro de casa, embora eu quisesse continuar brincando. Em protesto, sentei-me, abri as pernas e, em seguida, bati a cabeça repetidas vezes no chão. Com medo de que eu pudesse sofrer uma concussão cerebral, ela me levou para o berço, no qual prossegui com meu acesso de raiva mais confortavelmente.

Houve uma ocasião ainda mais assustadora em que eu estava no meio de uma crise de birra de proporções monumentais. Minha mãe me colocara no berço e, de algum modo, eu me atirei para fora. Depois de eu passar mais de vinte minutos berrando, ela telefonou para o pediatra. Ele recomendou que minha mãe saísse de casa e fosse para a varanda por alguns minutos. Na opinião dele, minha birra cessaria se não tivesse plateia. Minha mãe seguiu o conselho do médico e me deu a oportunidade de fazer meu drama em uma casa vazia, na esperança de que eu apresentasse um comportamento mais construtivo para recuperar a atenção que eu havia perdido.

Mas eu fui reprovada no teste. Ao que parece, quando percebi que estava sozinha, fiquei ainda mais furiosa. Juntei todas as forças e a altura de meu corpo de dois anos e saí pela casa puxando e arrancando o que estivesse ao meu alcance. Derrubei todas as cadeiras da sala de jantar. Como se isso não bastasse, chutei cada um dos assentos até separá-los das cadeiras. Meu acesso destrutivo também incluiu puxar todas as almofadas do sofá, jogar no chão todos os cinzeiros da casa e revirar todos os cestos. Havia revistas espalhadas pelo chão e toda ordem ao meu alcance foi transformada em caos. Não foi uma ação aleatória de uma criança pequena descontente. Foi algo mais parecido com a metódica força destruidora de uma terrorista em idade pré-escolar!

Depois de alguns minutos de solidão na varanda, minha mãe entrou e me encontrou exausta, mas ainda furiosa. Com medo de que eu estivesse descansando como preparativo para mais uma rodada, ela me deu umas palmadas e me colocou para dormir.

Mas, afinal de contas, o que me deixou tão furiosa? Para começar, falemos de minhas origens. Talvez possamos lhes atribuir uma parcela de culpa. Parte da minha família é siciliana e eu tenho antepassados apaches, franceses e ingleses. O resultado inevitável foi que nasci "esquentada" e contrariada. Vendetas da máfia correm em minhas veias, e alguém roubou todas as minhas terras! Talvez eu seja descendente direta de Gerônimo! Misture isso com o sangue de ingleses e franceses, e cá estou, coexistindo com meus invasores!

Acrescente a essa equação o fato de que eu perdi meu olho por causa de um câncer aos cinco anos. Quando me disseram que removeriam meu olho e me dariam outro novinho em folha, eu não colaborei. Tentei fugir do hospital antes da cirurgia. Tive de ser sedada e resisti tanto que foi difícil me anestesiarem. Lembro que me fizeram contar até dez duas vezes. Depois disso, colocaram uma máscara mais justa em meu rosto e a escuridão me invadiu. Durante toda a cirurgia, enquanto eu dormia, continuei a suplicar para que não removessem meu olho. Uma das enfermeiras saiu do centro cirúrgico em prantos. Fui colocada em uma sala com paredes de vidro até me recuperar da anestesia, o que aconteceu bem antes do esperado. Sentei-me na cama, arranquei o curativo do olho, vomitei e comecei a me esgoelar. Fui sedada novamente.

Foi necessário usar tanta anestesia que desenvolvi pneumonia, e despertei morrendo de frio em uma tenda de oxigênio. Depois de quase um mês na ala pediátrica do Hospital Infantil Ryley, voltei para a pré-escola com um tapa-olho. Fui alvo de incontáveis gozações mesmo depois de o tapa-olho ter sido removido e eu receber a prótese ocular.

Ira como armadura

A ira se tornou minha armadura, uma força sustentadora em minha vida. Pensamentos e imagens de vingança se tornaram meu consolo. Eu sonhava que, algum dia, receberia um transplante de olho e seria inteira e normal outra vez. Então, ninguém mais teria coragem de rir de mim.

As coisas não aconteceram como eu havia planejado, mas, quando me tornei cristã, descobri plenitude não ao voltar a meu estado físico anterior, mas ao trocar meu antigo modo de viver pela vida nova que Deus me deu. Por algum tempo depois que me tornei cristã, parecia que nada da minha antiga identidade havia sobrevivido à transição. A consciência da misericórdia divina que eu havia recebido era tão avassaladora que eu não hesitava em tratar as outras pessoas com misericórdia.

O tempo passou, eu me casei, recebi uma visão e uma vocação, e me deparei com um cônjuge pouco cooperativo. Relatei anteriormente como nossos primeiros quatro anos de casamento foram marcados por brigas.

Quando nosso primeiro filho chegou, eu tive uma nova revelação. Descobri que era mais fácil amar meu bebê do que meu marido, com quem eu estava casada havia três anos. Quando vi aquele pequenino, cheio de hematomas depois de um parto feito a fórceps, meu coração se encheu de amor intensamente protetor por nosso menino tão doce e terno. A recuperação do parto foi difícil, e eu tive de fazer repouso por duas semanas. Ficava deitada na cama, simplesmente contemplando o bebê ao meu lado. Conversava com ele e acreditava que ele entendia o que eu dizia. Inventava canções bobas que declaravam meu amor por ele. Tenho uma recordação especialmente preciosa. Eu estava deitada de lado e o havia colocado junto de mim, meu nariz encostado no dele. Enquanto eu contemplava seus olhos serenos, caí em um sono tranquilo e maravilhoso. Não sei quanto tempo aquilo durou, mas, quando acordei, ele ainda estava olhando para mim com tanto amor que me senti enlevada. Era como se um pequeno querubim estivesse me observando. Então, cobri de beijos seu rostinho lindo.

John não estava tão encantado com a experiência de ser pai. Sentia-se um pouco excluído. Ou será que era alguma outra coisa? Quando ele fazia algum comentário do tipo: "Não acha que o bebê mamou o suficiente?", eu o acusava de estar com ciúmes.

"Que coisa horrível!", pensava eu. "Ter ciúmes do próprio filho!" Mas essa não era toda a verdade. Ele me via cantar para o bebê, segurar o bebê, beijar o bebê, proteger o bebê e se deu conta de que eu sabia ser amável. Só me recusava a ser amável com ele!

E ele estava certo. Eu tratava Addison de um modo bem diferente daquele que tratava John. Afinal, em minha cabeça, John era adulto e podia cuidar de si mesmo. Addison era meu filho, alguém que eu deveria amar e proteger pelo resto dos meus dias. Os dois primeiros anos da vida de Addison foram cheios de mudanças e transições para nós. Saímos do Texas, fomos morar na Flórida, onde John assumiu o cargo de pastor de jovens em uma igreja local. E Deus começou a realizar uma obra grandiosa em nosso casamento.

Essas mudanças todas criaram um anseio profundo por Deus em minha vida. Eu queria ouvir sua voz claramente e aprender seus caminhos. Parte disso se devia à situação na qual eu me encontrava. Como esposa de pastor, eu queria dar o exemplo de uma vida dedicada ao Senhor. Não posso dizer, contudo, que minhas motivações fossem inteiramente puras. Deus havia curado meu casamento e eu me sentava no primeiro banco da igreja. Então, concluí que Deus estava muito satisfeito comigo, pois, do contrário, eu não estaria desfrutando essas bênçãos. Mas eu estava redondamente enganada!

A CONSCIÊNCIA DA MISERICÓRDIA DIVINA QUE EU HAVIA RECEBIDO ERA TÃO AVASSALADORA QUE EU NÃO HESITAVA EM TRATAR AS OUTRAS PESSOAS COM MISERICÓRDIA.

Não obstante minhas motivações interesseiras e um tanto hipócritas, Deus me concedeu os desejos do meu coração, mas por meio de um processo bem diferente. Clamei ao Senhor e pedi que ele purificasse meu coração e me aprofundasse em sua santa presença. Imaginei que um sonho, ou uma visão, poderia ser uma boa ideia. Talvez algo de que eu pudesse dar testemunho algum dia, que confirmasse minha piedade. Mas eu não tive essa sorte.

Deus sabe quais são os procedimentos e propósitos necessários no processo de refinamento da vida de cada cristão. Temo que, no meu caso, foi preciso uma fornalha em temperatura máxima com o *timer* ajustado para mais de um ano. Para refinar ouro e prata, é necessário colocá-los no fogo em temperaturas elevadas, até que o metal se liquefaça. Então, a escória e as impurezas chegam à superfície e se tornam evidentes a todos que observam o processo. Nesse momento, o ourives remove a escória e permite que o metal esfrie. Esse processo é repetido até que o metal esteja inteiramente livre de resíduos e de outros metais que possam enfraquecê-lo.

O fogo refinador

> Veja, eu refinei você, embora não como prata; eu o provei na fornalha da aflição (Isaías 48:10).

Deus não refina seus filhos em uma fornalha ardente de verdade. Ele tem uma fornalha de outro tipo para realizar esse processo de purificação. É a fornalha da aflição. Creio que é importante definir aqui o termo "aflição": "tempestuosidade, dificuldade, problema, adversidade, angústia e tribulação", entre outras coisas. Gosto especialmente do termo "tempestuosidade". Ele me leva a imaginar uma travessia marítima difícil. É como se estivéssemos sendo levadas de um porto a outro em um navio do qual não podemos escapar. Gostamos do porto de destino, mas não gostamos da viagem em si!

De modo semelhante, uma fornalha é um lugar do qual não podemos escapar. Não há um mecanismo interior de emergência. Portanto, o melhor é sermos refinadas o mais rápido possível, pois não sairemos do processo enquanto não tivermos alcançado o estado desejado de pureza. Creio de todo o meu coração que Deus está mais interessado em nossa condição interior do que em nosso conforto; ele permite que as coisas fiquem desconfortáveis em nossa vida a fim de revelar nossa verdadeira condição interior. Para Deus, nosso desconforto temporário é preferível ao tormento eterno.

Assim que pedi a Deus que purificasse meu coração, parece que me vi na fornalha ardente da aflição. Um pequeno problema em minha vida estava prestes a adquirir proporções bem maiores. Era um problema pessoal, e não algo que eu houvesse feito em público ou na igreja; era algo que eu reservava para meus entes queridos em casa. Era apenas um probleminha de raiva.

Verdade seja dita, a essa altura, eu ainda não estava inteiramente convencida de que tinha esse problema. Afinal, quando todos pareciam perfeitos, eu não me enfurecia; portanto, eram as pessoas imperfeitas que me aborreciam. Além disso, os acessos de raiva não aconteciam diariamente. Talvez a cada dois meses eu quebrasse alguma coisa ou usasse palavras feias com meu marido. Obviamente, não era algo fora de controle. O episódio em que quebrei o vidro da janela ocorreu logo depois de minha oração, quase como que em resposta a ela. Mas como era possível eu estar piorando em decorrência de orações sinceras para ser mais piedosa? Devia estar acontecendo alguma outra coisa.

Meus acessos incontroláveis se tornaram cada vez mais frequentes. Passaram a ocorrer uma vez por mês. Nessa época, foram divulgados alguns estudos sobre TPM. Pronto! Quando eu tive meu primeiro filho, algo estranho e assustador havia acontecido com meus hormônios. Quanto alívio saber que a culpa não era minha! Sentei-me com meu marido e li um artigo sobre TPM para ele. Se estivesse mais informado, talvez se mostrasse mais sensível às mudanças que ocorriam em meu corpo. Como argumento adicional, mencionei que, em várias culturas, era costume isolar mulheres no período menstrual. Afinal, até a Bíblia recomendava que os homens não se sentassem no sofá com elas!

Depois disso, meus acessos de raiva deixaram de ser mensais e se tornaram mais ou menos quinzenais. Além do mais, a teoria da TPM estava trabalhando contra mim. Se estávamos no meio de uma discussão acalorada em que eu exigia meus direitos, John sempre perguntava: "Sua menstruação está para vir?". E ali morria a validade da minha argumentação. Eu precisava pensar em outra solução.

Nosso grupo de jovens em Orlando estava crescendo. Eureca! Eram as bruxas em Orlando que estavam jejuando e orando contra nós. Eu estava sob ataque espiritual e uma batalha estava sendo travada nas regiões celestiais. Diante de tudo isso, era compreensível que eu estivesse com os nervos à flor da pele.

Tempos depois, descobri o conceito de maldição hereditária. Levando em consideração minhas origens, é claro que esse era o problema. Pensando bem, eu deveria ser bem pior. Também era preciso considerar minha infância. Meus pais se haviam divorciado duas vezes, e meu pai era alcoólatra. Os acessos de raiva se tornaram cada vez menos espaçados, algo não muito diferente das dores de uma mulher em trabalho de parto. Apesar de todas as minhas justificativas, eu tinha medo do que poderia fazer.

DEUS ESTÁ MAIS INTERESSADO EM NOSSA CONDIÇÃO INTERIOR DO QUE EM NOSSO CONFORTO.

Então, veio nosso segundo filho. Eu tinha orado fervorosamente por mais um bebê e, quando ele chegou, eu pensei: “O que eu tinha na cabeça?”. É tão fácil cuidar de uma criança. Você a veste, coloca-a no carrinho para passear, e ela se comporta maravilhosamente bem. Então, percebi que essa é uma cilada para nos convencer a ter mais filhos. Eu estava no fundo do poço; sentia-me presa em casa com um recém-nascido e um filho que ainda estava aprendendo a andar. Não teria feito muita diferença se eu tivesse um carro e pudesse sair. Parecia incapaz de escovar os dentes antes do meio-dia e, só de pensar em ir ao supermercado com duas crianças, quase tinha um colapso! Também parecia impossível realizar qualquer trabalho doméstico. A casa nunca havia ficado tão bagunçada. Embora eu nunca tivesse passado tanto tempo em casa, esse tempo não rendia. Minha mente parecia envolta em uma névoa pós-parto. Talvez a gestação recente houvesse provocado uma mortandade de neurônios.

Todas as noites, sem falta, meu marido voltava para casa, via a bagunça e fazia a pergunta que eu tinha passado a temer mais do que qualquer outra: "O que você fez o dia todo?".

Frustrada, eu balbuciava uma defesa inarticulada e garantia que não havia ficado na frente da televisão! Comentava que havia recebido várias ligações de pessoas precisando de aconselhamento e, quando uma menina ameaçou cometer suicídio, eu me identifiquei com ela. Minha aparência devia ser assustadora, com a blusa aberta depois de amamentar, o bebê apoiado no quadril e uma colher de pau (que eu usava para disciplinar Addison) na mão. "Se você segurar o bebê por quinze minutos, eu tomo um banho", eu prometia em pânico.

Havia mais um obstáculo entre mim e o que poderia ser considerado um dia bem-sucedido. Meu primeiro filho, que, até então, havia sido modelo de obediência e submissão, agora resistia o tempo todo. Sonecas eram motivo de guerra. Assim que Austin nasceu, Addison resolveu que dormir não era mais algo viável em sua rotina diária. Tinha medo de perder algo se dormisse, mesmo que fosse por apenas uma ou duas horas.

Todos os dias eu travava a mesma batalha, pois não concordava com a opinião dele a esse respeito. Dormir durante o dia era uma parte boa e necessária de sua rotina diária. Era o momento em que a mamãe tomava banho, limpava a cozinha e fazia o que precisasse para não ser reprovada quando ouvisse a temida pergunta: "O que você fez o dia todo?".

Mas eu estava perdendo terreno rapidamente. Não importava quão cansado Addison estivesse ou quão maravilhosamente eu lesse para ele, ele se sentia impelido a sair da cama. Eu dava de mamar para Austin, colocava-o no berço em nosso quarto e depois acompanhava Addison até o andar de cima. Tudo estava ordem; eu o beijava e lia ou cantava para ele e, em seguida, tentava sair de fininho. Na maioria das vezes, assim que eu descia as escadas, ele vinha atrás de mim, munido de uma lista de razões pelas quais não precisava tirar uma soneca. A princípio, eu permanecia calma e o acompanhava de volta até a sua cama, com advertências sobre infrações futuras. Mas, então, o telefone tocava e ele se levantava. Sabia que eu não podia ir atrás dele (era antes dos telefones sem fio) e aproveitava para entrar em nosso quarto ou pegar seus brinquedos na sala.

Da cozinha, eu o via na sala e começava a bater o pé, estalar os dedos e acenar para ele freneticamente com a colher de pau. Ele acenava de volta todo feliz e continuava a brincar. Com frequência, a pessoa do outro lado da linha era alguém que tinha ligado para receber aconselhamento e não fazia ideia da cena que estava se desdobrando em minha casa. Talvez me imaginasse envolta em serenidade, sentada com a Bíblia no colo, lendo ou orando. Na verdade, eu parecia uma mulher ensandecida vestindo um roupão e acenando com uma colher acima da cabeça, como se estivesse realizando algum misterioso ritual materno.

Quando eu desligava o telefone, Addison corria para se refugiar em sua cama... por breves momentos. Geralmente, ele pegava no sono em algum lugar entre o topo da escada e sua cama; assim que ele adormecia, porém, o bebê despertava. O choro dele fazia o leite brotar em meu peito. Mais uma vez, eu havia sido derrotada.

Essa batalha se estendeu de abril a julho, até que, certo dia, cheguei a meu limite. Quando olhava para Addison, era como se não enxergasse mais meu filho; eu via um inimigo, aquele que me impedia de concluir qualquer tarefa doméstica. Quando ele estava descendo a escada, eu ia ao seu encontro. Pegava-o no colo e subia os degraus batendo os pés. Entrava no quarto dele e imaginava, desesperada, o que poderia fazer para que ele não saísse da cama novamente. Sem a mínima cerimônia, eu o colocava na cama. Foi então que um pensamento me ocorreu: "Erga-o até poder olhar nos olhos dele, empurre-o com força contra a parede e, depois, coloque-o na cama. Ele vai saber com quem está mexendo". O mais estranho é que, naquele momento, esse pensamento fez sentido. Levantei-o até seu rosto estar na mesma altura que o meu e, naquele instante, percebi algo de relance em seu olhar, algo que eu nunca tinha visto antes. Ele não estava com medo do que eu faria. Estava com medo de mim! E, quando vi terror em seus olhos, lembrei-me de minha própria infância.

Como já mencionei, eu fui uma criança difícil, que cresceu em circunstâncias complicadas. Meus pais não eram cristãos e fizeram o melhor possível para me educar. Nenhum deles, porém, vinha de uma família cristã e, em algumas ocasiões, eu os tirava do sério. Ao ver o medo do meu filho, lembrei-me da promessa que tinha feito a mim mesma quando ainda era menina: "Jamais vou tratar meus filhos desse jeito". Essa memória me fez recobrar o juízo.

Coloquei Addison na cama com todo o cuidado e olhei em seus olhos. "Sinto muito por ter assustado você", repeti várias vezes, na esperança de restaurar o que eu havia despedaçado. Depois, fechei a porta de seu quarto e fui correndo até o andar de baixo. Atirei-me no tapete da sala e chorei desesperadamente sob o peso irremediável de toda aquela situação.

Não sei quanto tempo passei ali, aos prantos, mas chorei até esgotar todas as minhas forças e me acalmar. Com os olhos turvos de lágrimas, entendi pela primeira vez que minha raiva era realmente um problema. Minha mente voltou à pergunta que John havia feito em várias ocasiões depois de meus acessos: "O que vai precisar acontecer para você controlar essa raiva?".

O QUE VAI PRECISAR ACONTECER PARA VOCÊ CONTROLAR ESSA RAIVA?

Eu sempre me defendia prontamente: "Se você não me provocasse, eu não ficaria tão aborrecida". Mas John não estava em casa e não havia me provocado, e eu quase tinha perdido as estribeiras. Pela primeira vez, minha raiva cobrou um preço que eu não estava disposta a pagar. Eu havia quebrado a confiança do meu filho e as promessas da minha infância. Não queria continuar como estava, mas não fazia ideia de como sair da destrutiva espiral descendente em que me encontrava.

A culpa era toda minha. Não era da minha educação na infância, do meu marido, das minhas origens étnicas, nem dos meus hormônios. Sim, essas coisas e acontecimentos haviam formado e influenciado algumas áreas da minha vida, mas somente eu era responsável por minha reação a elas. Clamei para o silêncio que agora envolvia minha casa: "Deus, sou eu! Tenho um problema sério de ira!".

Sentia-me presa no redemoinho de meus próprios erros e justificativas. Estava me afogando nas ondas que eu mesma havia criado. Quebrada e desesperada, clamei por socorro: "Deus, não quero mais isso. Não vou mais me justificar nem jogar a culpa em outras pessoas. Por favor, me perdoe!".

Em resposta, senti o peso da culpa e do pecado ser removido de mim, como se todo o meu ser se tivesse despido de uma roupa grossa. Então, ouvi o Espírito dizer: "Agora que você parou de inventar desculpas, removerei esse mal da sua vida".

O que você justifica, você compra

Ao justificar nossa ira, estamos dizendo, em essência: "Adquiri o direito de ser como sou por causa daquilo que outras pessoas fizeram contra mim". Não somos definidas por aquilo que foi feito *a* nós, mas por aquilo que foi feito *em favor* de nós! Muitos no corpo de Cristo ainda estão presos aos abusos do passado, embora um caminho para a liberdade já lhes tenha sido provido. Encontramos liberdade quando seguimos as instruções de Jesus: "[Ele] dizia a

ENCONTRAMOS LIBERDADE QUANDO SEGUIMOS AS INSTRUÇÕES DE JESUS.

todos: 'Se alguém quiser acompanhar-me, negue-se a si mesmo, tome diariamente a sua cruz e siga-me'" (Lucas 9:23).

Antes de tomar a cruz, temos de negar a nós mesmas. Eu não estava negando a mim mesma; estava me desculpando e me justificando. Estava seguindo o caminho rumo à destruição, pavimentado com as pedras defeituosas do meu próprio entendimento. Quando meus olhos foram abertos, eu vi quanto estava enganada. Quando me arrependi e neguei a mim mesma, Deus me libertou.

QUANDO ME ARREPENDI E NEGUEI A MIM MESMA, DEUS ME LIBERTOU.

Viva pelo Espírito

> Por isso digo: vivam pelo Espírito, e de modo nenhum satisfarão os desejos da carne. Pois a carne deseja o que é contrário ao Espírito; e o Espírito, o que é contrário à carne. Eles estão em conflito um com o outro, de modo que vocês não fazem o que desejam (Gálatas 5:16-17).

Há conflito entre a vida no Espírito e nossa abjeta natureza pecaminosa. A única maneira de resolver esse conflito é vivendo pelo Espírito. O que eu queria? Queria ser uma excelente esposa e mãe e uma mulher piedosa. Mas, uma vez que eu não estava vivendo pelo Espírito, estava fazendo aquilo que eu não queria. Encontramos a vida pelo Espírito quando negamos a nós mesmas, tomamos nossa cruz e seguimos Jesus. Creio que tomar nossa cruz representa renunciar à nossa própria vontade. Acontece quando repetimos as palavras de nosso Senhor: "Não seja o que eu quero, mas sim o que tu queres" (Marcos 14:36).

A vida no Espírito rompe com o poder da lei sobre a nossa vida: "Mas, se vocês são guiados pelo Espírito, não estão debaixo da lei" (Gálatas 5:18). O sistema debaixo da lei é olho por olho, dente por dente. Você me magoou; eu vou magoar você. Eu sofri abuso; portanto, vou cometer abuso. Não há muita esperança debaixo da lei, mas eu vejo que a maioria dos cristãos se mostra mais disposta a inventar desculpas e se colocar debaixo da lei do que a se colocar debaixo do Espírito. Ao justificar nosso presente com nosso passado, negamos uma parte considerável da obra da cruz. Torna-se um jogo de transferência de culpa. Deus criou cada ser humano à sua imagem, com livre-arbítrio para escolher entre vida ou morte, bênção ou maldição.

> As coisas que a natureza humana produz são bem conhecidas. Elas são: a imoralidade sexual, a impureza, as ações indecentes, a adoração de ídolos, as feitiçarias, as inimizades, as brigas, as ciumeiras, os acessos de raiva, a ambição egoísta, a desunião, as divisões, as invejas, as bebedeiras, as farras e outras coisas parecidas com essas. Repito o que já disse: os que fazem essas coisas não receberão o Reino de Deus (Gálatas 5:19-21, NTLH).

O texto não poderia ser mais claro, e eu me encontrava em apuros. Deus classifica os acessos de raiva como atos da natureza pecaminosa. Outras traduções os chamam *obra da carne*. A feitiçaria também aparece como obra da carne. E lá se foi minha desculpa de guerra espiritual. Estava guerreando contra minha própria natureza decaída e insubmissa. Quero destacar a última frase dessa passagem: "Repito o que já disse: *os que fazem essas coisas* não receberão o Reino de Deus". Essa frase também pode ser traduzida por: "Os que vivem dessa forma". Há uma grande diferença entre incidentes isolados de pecado e um estilo de vida pecaminoso ou de prática do pecado. Outro termo para prática é "hábito" — e um hábito é algo que fazemos sem pensar.

Creio que Paulo cita essas obras da carne como estilos de vida ou condutas habituais. Pode acontecer de alguém cometer um ato isolado de adultério, arrepender-se e receber perdão de Deus. Também pode haver aquele que comete adultério habitualmente e que não tem a intenção de mudar. Talvez lamente suas ações de vez em quando, *se* for descoberto, mas não sente remorso pelo ato em si. Esse indivíduo é chamado *adúltero*, pois essa é uma prática constante, um hábito e um modo de vida para ele. Talvez ele se justifique e invente desculpas para suas ações: "Minha esposa não me entende", e assim por diante. Não há arrependimento e, portanto, não há misericórdia, pois ele não imagina que precisa dela.

A ira se havia tornado um modo de vida habitual para mim. Enquanto eu inventava justificativas ou transferia a culpa para outras pessoas, rejeitava a misericórdia ao dizer que estava certa de agir e me comportar dessa forma por causa de ________________. Em seguida, inseria na lacuna a desculpa apropriada àquele incidente. Essa passagem das Escrituras me sacudiu e abriu meus olhos. Paulo estava escrevendo para os cristãos da Galácia e repetiu algo que tinha dito para eles anteriormente, pois era importante. Aqueles que continuassem a manter um estilo de vida de pecado habitual não herdariam o reino de Deus.

Poderíamos entrar, aqui, em uma extensa discussão teológica a respeito do significado de "reino de Deus". Quer dizer que você vai para o céu, mas tem de morar na periferia, fora do reino? Será que o reino não é o céu, mas algo diferente? Ou será que indica a pior hipótese possível, de que vamos para o inferno? Embora eu não tenha um doutorado em teologia, tenho inteligência suficiente para perceber que nenhuma dessas alternativas é boa, levando-se em consideração que estamos sendo advertidas a esse respeito.

A essa altura, eu tinha sido libertada do peso espiritual da culpa e do pecado, mas ainda restava o problema do hábito. Cada uma de nós se lembra de ter nascido de novo, de ter experimentado liberdade e novidade de vida e, então, de ter se deparado com inúmeras situações em que a força da experiência de salvação foi testada. Recebemos diversas oportunidades de escolher obediência e vida em circunstâncias nas quais a morte parecia (naquele momento) mais atraente. Agora meus olhos estavam abertos e eu precisava fazer algumas escolhas construtivas. Era chegada a hora de negar a mim mesma e tomar minha cruz.

UM HÁBITO É ALGO QUE FAZEMOS SEM PENSAR.

Tome sua cruz

O primeiro passo consistiu em perdoar cada pessoa de quem eu guardava rancor. Trataremos desse processo em mais profundidade em um capítulo adiante. O segundo passo, a confissão, foi um pouco mais difícil para mim.

Senti o Espírito me dirigir para que eu contasse a meu marido o que quase havia acontecido com Addison naquele dia. Minha primeira reação foi protestar: "Mas não aconteceu, então por que preciso contar a John?".

Creio que seria mesmo necessário por três motivos. Primeiro, o reino não opera com base em princípios meramente naturais. É bom lembrar que Jesus disse aos fariseus que quem olha para uma mulher com intenção impura já cometeu adultério com ela em seu coração. O que se passa no coração é de suma importância no reino. Nosso coração é uma estufa para sementes boas e sementes más. No meu caso, não havia acontecido nada no âmbito físico, mas algo havia ocorrido em meu coração. A vergonha e o horror do ato imaginado já se haviam desenrolado em cores vívidas.

Embora eu tivesse recebido perdão ao confessar meu pecado ao Pai em nome de Jesus, veja o que Tiago nos diz: "Portanto, confessem os seus pecados uns aos outros e orem uns pelos outros para serem curados. A oração de um justo é poderosa e eficaz" (Tiago 5:16).

Ao me humilhar por meio da confissão do meu pecado e orar com meu marido, eu abri as portas para a cura nessa área. Já havia sido perdoada ao me arrepender e confessar meu pecado a Deus, mas a cura inundou as partes sombrias de meu coração quando eu trouxe o pecado à tona. A confissão faz a luz incidir em áreas de pecado e vergonha e, nesse ambiente iluminado, a oração promove cura e restauração.

O terceiro motivo pelo qual foi bom relatar o ocorrido a John foi que isso me deu condições de prestar contas a alguém. Uma vez revelada a verdade, tornei-me responsável em relação a ela. Eu sabia a verdade, mas será que escolheria viver de acordo com ela? John era a pessoa ideal a quem prestar contas, embora talvez não fosse a mais empática. Eu poderia ter conversado com uma amiga que também tinha filhos em idade pré-escolar, contando a ela o que quase havia acontecido. É possível que ela tivesse ouvido de modo solidário e dito algo como: "Não se preocupe, eu quase fiz a mesma coisa com meu filho na semana passada. Você não transformou seu pensamento em ação". Mas a Palavra diz: "Quem fere por amor mostra lealdade" (Provérbios 27:6).

Eu não precisava de compreensão; eu precisava da palmada fiel de um amigo. Precisava de alguém que me ferisse com a verdade. John desempenhou perfeitamente esse papel, embora tenha sido bondoso comigo e não me tenha condenado. Ele viu como eu estava quebrantada e arrependida. Oramos juntos, e eu senti o peso da vergonha ser removido de meus ombros. Ainda restava tratar, porém, dos hábitos.

NOSSO CORAÇÃO É UMA ESTUFA PARA SEMENTES BOAS E SEMENTES MÁS.

No dia seguinte, começaria meu treinamento intensivo. Como você já deve ter observado, tendo a ser obstinada. Eu me encontrava diante de uma escolha. Poderia tentar romper o ciclo de raiva com minhas próprias forças e, muito provavelmente, fracassar, ou poderia me humilhar, negar a mim mesma, tomar minha cruz e reconhecer minha total dependência de Deus. Isso significava me aprofundar nos tesouros de sua Palavra e me esmurrar como um boxeador em treinamento com as verdades que eu encontrasse ali.

UMA VEZ REVELADA A VERDADE, TORNEI-ME RESPONSÁVEL EM RELAÇÃO A ELA.

"Prontos para ouvir..."

Comecei a plantar as sementes das Escrituras que produziriam uma colheita de justiça em minha vida. Um de meus versículos prediletos se encontra em Tiago: "Meus amados irmãos, tenham isto em mente: Sejam todos prontos para ouvir, tardios para falar e tardios para irar-se" (Tiago 1:19).

Antes de Tiago fazer essa advertência a seus irmãos em Cristo, ele os exorta a ter sempre em mente o que ele dirá. Em seguida, usa o termo abrangente "todos". Isso inclui líderes, pais, filhos, patrões, empregados e, com certeza, mães em período pós-parto. Qualquer que seja a condição de cada um, todos devem estar prontos para ouvir as outras pessoas, tardios para falar (não importa com que rapidez uma resposta se forme em sua mente) e tardios para se irar.

Meu comportamento era exatamente o oposto. Eu sempre estava pronta para falar, mostrava-me tardia para ouvir e pronta para me irar! Não tinha acertado em nenhum dos itens. Creio que isso se deve ao fato de que as três características estão inter-relacionadas.

Se desacelerarmos o tempo de reação ao remover a pressão de expressar nossa opinião de imediato, poderemos verdadeiramente ouvir o que a outra pessoa está dizendo. Muitas vezes, isso evita que percamos a calma (o que coloca a outra pessoa na defensiva) e faz com que as coisas se encaminhem melhor.

O próximo passo foi pedir a ajuda de Deus quanto à minha boca. Como Davi, passei a orar: "Põe guarda, SENHOR, à minha boca; vigia a porta dos meus lábios" (Salmos 141:3, ARA).

Um guarda fica atento para o que entra e sai. Davi comparou seus lábios, de forma eloquente, a portas que podem ser abertas ou fechadas. Ele suplicou para que um guarda fosse colocado junto à sua boca, para que as palavras não escapassem e fizessem um estrago. O Espírito Santo toma as Escrituras que escondemos em nosso coração e as traz à memória exatamente quando estamos prestes a deixar que palavras prejudiciais escapem por nossos lábios.

Estudos científicos mostram que são necessários 21 dias para quebrar um hábito. Esse número se baseia no tempo que leva para que as pessoas que passaram por uma amputação deixem de ver a imagem do membro fantasma que foi perdido. Três semanas depois, elas deixam de tentar pegar coisas com a mão removida ou de se apoiar na perna amputada.

Temos de lembrar que hábitos são fortes. São reações sobre as quais não raciocinamos, assim como usamos nossos músculos sem pensar. E a raiva se tornara um hábito em minha vida. Parecia impossível passar 21 dias sem cometer nenhuma infração. Poderiam muito bem ser 21 anos. A raiva estava arraigada em mim.

> COMO QUEBRAR UM HÁBITO? DA MESMA FORMA QUE O DESENVOLVEMOS.

Como quebrar um hábito? Da mesma forma que o desenvolvemos. Um incidente de cada vez, cinco minutos de cada vez, uma hora de cada vez, um dia de cada vez. Quando acordei, na manhã seguinte, humilhei-me de imediato: "Deus, preciso do Senhor hoje. Coloque um guarda severo e implacável junto à minha boca. Não quero pecar contra o Senhor novamente. Ajude-me hoje a ser tardia para falar, pronta para ouvir e tardia para me irar".

Não pensei: "Preciso fazer isso por mais vinte dias. Socorro! É impossível. É demais para mim!". Não permiti que o pânico tomasse conta de mim, embora isso pudesse ter acontecido. Em vez disso, fui dando um pequeno passo de cada vez. Não estou dizendo que foi fácil, pois não foi. Mas estou dizendo que, com Deus, tudo é possível. Vivo há mais de dez anos em um estado no qual a ira não me controla mais. Agora eu a controlo.

COM DEUS, TUDO É POSSÍVEL.

Os dois primeiros passos no caminho para a liberdade foram arrependimento e confissão. O capítulo final deste livro traz 21 dias de leitura diária e espaço para anotações, de modo a ajudá-la a percorrer esse caminho a partir daquilo que Deus começou a realizar em seu coração.

Querido Pai celestial,

Perdoe-me e purifique-me. Não quero apenas me arrepender dos frutos da minha ira. Quero que a espada de sua Palavra remova a raiz da ira em minha vida. Enquanto eu prossigo com a leitura, peço que o Senhor continue a abrir meus olhos para que eu possa ver. Agradeço, Senhor, porque o convencimento de seu Espírito removeu as sombras da justificação própria e da culpa. Aceito a luz de sua verdade e a liberdade de seu perdão.

10. O PODER DA CONFISSÃO

Quando eu viajo e dou palestras, muitas mulheres queridas compartilham comigo que, antes de me ouvir falar e antes de enxergar a si mesmas no espelho da minha vida, não se haviam dado conta do tamanho de sua ira. Muitas vezes choram e contam que não veem a hora de ir para casa, pedir perdão e recomeçar.

Talvez você esteja se sentindo dessa forma. Talvez tenha percebido de si mesma em minhas palavras e anseia por recomeçar. Você imagina que este livro foi parar em suas mãos por acaso? Não, creio que foi pelo propósito divino. Quando encontramos outro cristão cuja vida foi tocada em uma área que corresponde à nossa necessidade, a fé cresce e a esperança se renova. Colocamos o pé na água, e nosso coração trêmulo pergunta: "Deus, é o Senhor que está falando? Há algo que o Senhor pode fazer por mim? Pode me perdoar e me purificar de todo o meu pecado e de toda a minha culpa? Posso ousar sonhar com a possibilidade de que o Senhor transforme a raiva que sinto hoje em ira piedosa? Essa pode ser uma área que seu Espírito Santo ocupará em minha vida, a fim de que o Senhor seja glorificado pela forma que lido com conflitos?".

A todas essas perguntas e a quaisquer outras que seu coração hesitante venha a fazer, o Pai celestial responde: "Sim!".

Nós temos um Auxiliador

Eu já estive onde você está. Embora não tenha visto seu rosto e não saiba seu nome, sei que não somos tão diferentes. Afinal, a Bíblia diz:

> Não sobreveio a vocês tentação que não fosse comum aos homens. E Deus é fiel; ele não permitirá que vocês sejam tentados além do que podem suportar. Mas, quando forem tentados, ele lhes providenciará um escape, para que o possam suportar (1Coríntios 10:13).

Você jamais enfrentará um problema que ninguém tenha enfrentado antes. No entanto, Satanás gosta de nos isolar e de acusar cada uma de nós. Ele sussurra mentiras como: "Você é a única que tem dificuldade com essas coisas. Está sozinha. Ninguém é tão horrível quanto você!". Eu sei disso porque, como você, também ouvi essa mentira.

Deus não age com parcialidade. Isso significa que ele não favorece esta ou aquela pessoa quando se trata de suas promessas e de sua Palavra.

> Então Pedro começou a falar: "Agora percebo verdadeiramente que Deus não trata as pessoas com parcialidade, mas de todas as nações aceita todo aquele que o teme e faz o que é justo" (Atos 10:34-35).

Nosso Pai celestial acolhe cada um de seus filhos que se aproxima dele com o coração humilde e obediente. Lembre-se de que o Senhor não aceita os orgulhosos e arrogantes, mas, sim, os quebrantados e contritos. Ele não ouve os independentes, nem os que acham saber de tudo. Ele ouve aqueles que esgotaram seus próprios recursos e se cansaram de tentar. A esses exauridos e quebrantados, ele faz o seguinte convite: "Se algum de vocês tem falta de sabedoria, peça-a a Deus, que a todos dá livremente, de boa vontade; e lhe será concedida" (Tiago 1:5).

Reconhecer nossa falta de sabedoria é, em si mesmo, um ato de humildade. Temos de reconhecer que tentamos de tudo com nossas próprias forças, mas falhamos. Quando nos cansamos de jogar a culpa em outras pessoas sem encontrar a liberdade, quando estamos prontas para renunciar a todas as acusações, podemos nos achegar tranquilamente a nosso Pai, que não olha para nossas imperfeições nem procura nossas falhas. Ele enxerga além de todas as nossas tentativas frustradas e sonda os lugares mais profundos de nosso coração.

VOCÊ JAMAIS ENFRENTARÁ UM PROBLEMA QUE NINGUÉM TENHA ENFRENTADO ANTES.

Ande na luz

> Se, porém, andamos na luz, como ele está na luz, temos comunhão uns com os outros, e o sangue de Jesus, seu Filho, nos purifica de todo pecado (1João 1:7).

O que significa "[andar] na luz, como ele está na luz?". Para responder a essa pergunta, temos de considerar um versículo anterior, 1João 1:5: "Deus é luz; nele não há treva alguma". Deus não apenas anda na luz; ele é Luz. Essa luz não emana de uma cobertura exterior, mas irradia de seu ser. Não há escuridão em nenhuma parte dele. É um conceito difícil de imaginar e, mais ainda, de visualizar. Tudo o que vemos tem algum tipo de sombra. As únicas fontes de luz que conhecemos provocam sombras. O apóstolo João não estava se referindo a uma fonte de luz de origem externa, que brilha fora de nós ou ao nosso redor; antes, ele estava falando da luz que vem de dentro de nós.

Não estava se referindo à luz física, mas à luz de nosso espírito (embora no céu, como aconteceu com Moisés, talvez seja fisicamente visível). Andamos na luz neste mundo de sombras e escuridão ao viver com pureza de coração. Removemos áreas de trevas de nossa vida ao permitir que o sangue de Jesus nos purifique. Essa purificação restaura e mantém nossa comunhão com outros cristãos e com Deus. Mas, "se afirmarmos que estamos sem pecado, enganamo-nos a nós mesmos, e a verdade não está em nós" (1João 1:8).

UMA COISA É CONHECER A VERDADE; OUTRA BEM DIFERENTE, VIVÊ-LA.

Como afirmamos que estamos sem pecado? A maioria de nós faz isso sem perceber. Quando nos justificamos, jogamos a culpa em outras pessoas ou inventamos desculpas para nosso comportamento, afirmamos, em essência, que somos irrepreensíveis. Podemos observar essa dinâmica em nossas conversas. "Sinto muito. Sei que não deveria ter feito... Mas você me tira do sério quando faz isso!" A maioria de nós conhece bem essa linha de raciocínio. De uma forma ou de outra, seguimos esse roteiro desde a infância. Esse não é, contudo, um pedido de desculpas. É uma forma de responsabilizar as outras pessoas. Não assumimos responsabilidade por nossas ações nem nos arrependemos delas. Estamos apenas dizendo: "Sinto muito, mas você me irrita! A culpa é sua. Você me fez ficar com raiva e acabou sofrendo as consequências. Eu não tive escolha. Você me fez perder as estribeiras". De acordo com 1João 1:8, quando seguimos esse roteiro e afirmamos que estamos sem pecado, enganamos a nós mesmas, "e a verdade não está em nós". Uma coisa é conhecer a verdade; outra bem diferente, vivê-la. Os fariseus eram especialistas na letra da verdade, mas

REMOVEMOS ÁREAS DE TREVAS DE NOSSA VIDA AO PERMITIR QUE O SANGUE DE JESUS NOS PURIFIQUE.

faltava-lhes o espírito da verdade. Lemos em Salmos 119:105: "A tua palavra é lâmpada que ilumina os meus passos e luz que clareia o meu caminho". Os fariseus tinham grande conhecimento, mas andavam em trevas. Jesus os chamou de sepulcros caiados cheios de ossos dos mortos. Por fora, pareciam iluminados, mas, por dentro, estavam cheios de escuridão e do fedor da morte. Por meio de seus cargos e da realização de rituais, justificavam sua cobiça e a forma cruel que usavam a Palavra de Deus. Cobriam-se de falsidade. No entanto, Deus não está à procura de cargos ou rituais. Não se impressiona com títulos ou com o louvor de homens. Ele quer mãos limpas e coração puro, obtidos por meio de humildade, transparência e honestidade.

> Se confessarmos os nossos pecados, ele é fiel e justo para perdoar os nossos pecados e nos purificar de toda injustiça (1João 1:9).

Jesus purifica aqueles que confessam. Trata-se, mais uma vez, de uma referência a andar na luz. A confissão faz incidir luz sobre um problema. Confessar é reconhecer, relatar, responsabilizar-se, admitir, aceitar ou descarregar um peso. Quando confessamos, deixamos de arrastar conosco o peso das trevas, assumimos responsabilidade e aceitamos nossa parcela de culpa. Tenho de admitir que houve ocasiões em que inventei desculpas até mesmo para Deus. "Senhor, sei que isso não deveria ter acontecido... Mas esta pessoa me faz perder a compostura!" Quando faço isso, não estou pedindo misericórdia nem purificação; estou me justificando. E saio da presença de Deus ainda me sentindo suja e ofendida. A culpa e a condenação me seguem como sombras, e a escuridão encobre meu caminho.

ELE QUER MÃOS LIMPAS E CORAÇÃO PURO.

Mas, quando reconhecemos abertamente não apenas nossas ações, mas também nossas motivações, podemos ser purificadas de toda injustiça. Deus perdoa nossos pecados e nos purifica. Pouco tempo atrás, comprei para nosso filho Alexander uma camiseta nova que ele queria muito. Infelizmente, na primeira vez que ele a usou, derramou alguma coisa nela. Então, trouxe a camiseta para casa, mostrou-a a mim, olhou-me com seus grandes olhos castanhos e disse:

— Sinto muito, mãe.

Não deu nenhuma explicação, não culpou ninguém. Apenas: "Sinto muito, mãe".

Como eu poderia ficar brava? Sabia que ele estava chateado por ter manchado a camiseta.

— Não tem problema — disse-lhe eu. — Vou tentar remover a mancha.

Ele foi bastante honesto sobre o que havia acontecido e cativante. Resolvi lavar algumas roupas de imediato. (Com quatro meninos, encontro roupas para lavar a qualquer momento.) Tomei todas as medidas necessárias antes de colocar a camiseta na máquina e, como ele me havia mostrado a mancha assim que aconteceu, consegui removê-la por completo. Ele sabia que estava perdoado, mas depois se sentiu restaurado. Não encontraria vestígios da mancha ao olhar para a camiseta.

Creio que esse episódio ilustra o que acontece quando confessamos nosso pecado com sinceridade. Somos perdoadas, as manchas de nosso pecado são tratadas com o sangue de Cristo e são inteiramente removidas de nosso coração. Deus está disposto a nos perdoar e é capaz de fazê-lo, mas, quando não confessamos nossos pecados de acordo com a verdade que está em nós, permanecemos manchadas com nossa iniquidade. Culpar outras pessoas e criar justificativas são sinais de arrogância na vida do cristão.

SE CONFESSARMOS OS NOSSOS PECADOS, ELE É FIEL E JUSTO PARA PERDOÁ-LOS E NOS PURIFICAR DE TODA INJUSTIÇA.

A Palavra de Deus diz que não há nenhum justo, nem um sequer! Portanto, "se afirmarmos que não temos cometido pecado, fazemos de Deus um mentiroso, e a sua palavra não está em nós" (1João 1:10).

Se afirmamos que não temos pecado, contradizemos a Palavra de Deus: "Pois todos pecaram e estão destituídos da glória de Deus" (Romanos 3:23). Quando chamamos de fraqueza aquilo que Deus chama de pecado, dizemos que ele é mentiroso. Quando afirmamos que é impossível obedecer à sua Palavra, segundo a qual não há tentação que não possamos vencer em Cristo, contradizemos Deus e fazemos dele um mentiroso.

É fundamental que sejamos honestas diante dele e mostremos o que temos de melhor e de pior. Não há segredo ou motivação sombria em nosso coração que ele desconheça. Ele nos conhece melhor do que nós mesmas. *Portanto, confessar não é uma questão de informar a Deus, mas de negar a nós mesmas e concordar com a Palavra de Deus, que diz a verdade.*

Muitas vezes, a confissão pode ser dolorosa, como foi para mim quando vislumbrei pela primeira vez a desgraça que era a minha raiva em todas as suas expressões. Talvez você esteja sentindo uma dor parecida neste momento. E talvez tenha medo de não conseguir mudar. Verdade seja dita: muito provavelmente *você* não conseguirá mudar. Sem a Palavra de Deus e a intervenção dele, a maioria de nós tem grande dificuldade de mudar os próprios hábitos. Você já tentou com suas próprias forças e falhou; agora é hora de deixar Deus fazer as coisas do jeito dele. É importante não imaginar o que *Deus* pode fazer no futuro com base naquilo que *você* fez no passado. Deus não é limitado por nossas falhas.

É FUNDAMENTAL QUE SEJAMOS HONESTAS DIANTE DELE E MOSTREMOS O QUE TEMOS DE MELHOR E DE PIOR.

Quebrantadas e entregues

A Bíblia diz: "Deus se opõe aos orgulhosos, mas concede graça aos humildes" (Tiago 4.6). Não conheço ninguém que gostaria de sofrer oposição do Rei dos céus e da terra. De acordo com outra tradução, Deus resiste aos orgulhosos. Não sei quanto a você, mas eu não quero que Deus resista nem se oponha a mim. Quero ser quebrantada e entregue a Deus, o que só é possível com a ajuda dele. Para que isso aconteça, porém, tenho de me humilhar por meio de arrependimento, confessar abertamente não apenas minhas ações, mas também minhas motivações, e, portanto, apresentar quaisquer trevas presentes em meu coração, aceitar o perdão divino e seu processo de limpeza e purificação.

> Portanto, submetam-se a Deus. Resistam ao diabo, e ele fugirá de vocês (Tiago 4:7).

Depois de nos submetermos a Deus, podemos resistir ao diabo, e ele *certamente* fugirá. Depois de submeter a Deus nosso coração, nosso passado e nossos erros, é hora de resistir ao diabo. Uma vez que deixamos de justificar nossa raiva ou de culpar as outras pessoas por ela, não dependemos mais de nossa justiça, mas da justiça de Deus. Saímos do âmbito da justiça própria e daquilo que fizemos ou que outros fizeram contra nós. Entramos no âmbito da luz, em que a justiça se baseia no que foi feito *em nosso favor*. Quando nos humilhamos, despojamo-nos dos trapos sujos da justiça própria e revestimo-nos da justiça de Cristo e da autoridade que ela provê.

Será necessário resistir ao diabo quando ele contar mentiras e fizer acusações. Ele não deixará de nos acusar só porque nos arrependemos de nossos pecados e os confessamos. Ele continuará a trazer à tona nossas falhas do passado. Muitas vezes, somos tentadas a ruminar essas acusações por algum tempo. No meu caso, antes de aceitar a misericórdia de Deus ao verdadeiramente negar a mim mesma e confessar meu pecado, eu procurava me castigar.

Esse castigo autoimposto assumia várias formas; descreverei apenas algumas a seguir. Eu me castigava ao recusar o perdão. Talvez você esteja se perguntando como é possível agir assim, tendo em conta que Jesus nos perdoa generosamente. Eu não me permitia confessar o que havia feito enquanto não me sentisse suficientemente culpada. Essa demora possibilitava que a vergonha e a condenação se infiltrassem e tomassem o lugar do convencimento de pecado que eu havia experimentado inicialmente. Quando, então, por fim, eu confessava, não era uma confissão autêntica; era algo mais parecido com um pedido de desculpas. São coisas diferentes.

Confessar *versus* desculpar-se

Você percebeu que, quando descrevi confissão anteriormente neste capítulo, não mencionei pedir desculpas? Há uma grande diferença entre os significados originais desses termos. A definição de *desculpar-se* abrange: "desculpa, defesa, justificação, explicação e apologia". Lembre-se de que "apologética" é a defesa de uma crença. Portanto, um exemplo clássico de pedido de desculpas é: "Sinto muito, mas você me tirou do sério". Ou: "Peço desculpas, mas não consegui me controlar". Ou ainda: "Lamento, mas não foi minha culpa". A condenação e a culpa pesavam tanto sobre mim que parecia mais atraente me desculpar do que confessar meu pecado. A confissão é irrestrita, enquanto o pedido de desculpas é condicional.

Talvez nos pareça surpreendente que os termos "desculpa" ou "desculpar-se" nem sequer ocorram na Bíblia. Além de pedir desculpas a Deus, eu também pedia desculpas às outras pessoas.

Confissões, por sua vez, preparam o terreno para o perdão, pois reconhecem que ele é necessário; desculpas, não.

A CONFISSÃO É IRRESTRITA, ENQUANTO O PEDIDO DE DESCULPAS É CONDICIONAL.

Quanto mais adiamos a confissão a Deus, mais profundamente a culpa fica gravada em nossa alma. Não é muito diferente da mancha na camiseta de meu filho. E se ele tivesse ficado com vergonha e não tivesse trazido a camiseta manchada para mim de imediato, mas a tivesse escondido debaixo da cama ou simplesmente jogado no cesto de roupas sujas? A mancha teria tido tempo suficiente para se fixar nas fibras do tecido e teria sido bem mais difícil removê-la. E o que as ações dele teriam mostrado? Se ele tivesse escondido a camiseta de mim, eu teria imaginado que ele havia ficado com medo da minha reação e que me considerava injusta. Se ele tivesse jogado a camiseta no cesto sem mostrar o que havia acontecido, talvez eu não tivesse visto a mancha antes de colocar a roupa na máquina, o que também teria permitido que ela se fixasse no tecido. Ao levar a camiseta para mim de imediato, ele mostrou que acreditava que minha reação não seria exagerada e que eu faria todo o possível para remover a mancha. Deus quer que nos acheguemos a ele com essa atitude.

> Sem fé é impossível agradar a Deus, pois quem dele se aproxima precisa crer que ele existe e que recompensa aqueles que o buscam (Hebreus 11:6)

Eu me alegrei de ver que meu filho me mostrou a camiseta de imediato. Ter fé não é apenas crer em Deus; também é crer que ele é bom e justo, e que recompensa aqueles que o buscam diligentemente. Não quero limitar a ideia de *diligência* somente a trabalho, pois abrange muito mais do que isso. Inclui constância, paciência, dedicação, esforço e zelo. Alguém que se volta para Deus continuamente é um exemplo de diligência.

Autopunição

TER FÉ NÃO É APENAS CRER EM DEUS; TAMBÉM É CRER QUE ELE É BOM E JUSTO E RECOMPENSA AQUELES QUE O BUSCAM DILIGENTEMENTE.

Eu também me castigava ao recordar minhas falhas repetidas vezes e me repreender com severidade por causa delas. "Como você pode ter sido tão burra!"; "Lisa, você continua cometendo os mesmos erros"; "Ninguém é tão ruim quanto você. Ninguém tem lutas como as suas. Todos são cristãos melhores e mais fortes do que você!" Ao permitir que esses diálogos interiores cheios de acusação permanecessem em minha mente, eu esperava evitar outras infrações e usava a vergonha como elemento motivador para novos comportamentos. Essa abordagem aumentava a consciência do pecado em minha vida, a ponto de me sufocar. Eu imaginava que as vozes acusadoras eram pensamentos de Deus a meu respeito. Quando eu me dirigia a ele em oração, um coral de acusações me impedia de ouvir sua voz mansa e suave.

Eu pedia desculpas a Deus e ao meu marido repetidamente, mas, enquanto as palavras saíam de minha boca, eu me sentia condenada a repetir meus erros. No entanto, da primeira vez que confessei meus erros e renunciei a eles, eu vi a luz no fim do túnel escuro. Percebi que não encontramos a saída de um túnel ou de uma caverna escura quando olhamos para as trevas, mas, sim, quando nos movemos em direção à luz. Confissão, e não desculpas, é o que nos leva em direção à luz.

Outra forma de autopunição era permitir que essa culpa se infiltrasse em meu relacionamento com meu marido e com Deus. Eu imaginava que eles não me haviam perdoado de verdade. Afinal, como poderiam, se eu mesma ainda não me havia perdoado? Essa ideia me levava a construir um muro mental e me posicionar na defensiva. Deus não diz: "Castigue-se, martirize-se e, quando tiver pagado o preço, venha a mim". Não. Ele deseja que não pequemos quando ficarmos iradas. Ele deseja que o sol não se ponha sobre nossa ira para com as outras pessoas e em relação a nós mesmas.

Em Atos 3:19-20, Pedro se dirigiu aos mesmos judeus que pediram a crucificação de seu Senhor: "Arrependam-se, pois, e voltem-se para Deus, para que os seus pecados sejam cancelados, para que venham tempos de descanso da parte do Senhor". Nessa passagem, Pedro fala a uma grande multidão, mas sua mensagem tem aplicação pessoal em nossa vida. Quando nos arrependemos (em vez de nos desculpar), nossos pecados são cancelados e nós experimentamos "descanso" no relacionamento com o Senhor. Somos lavadas de toda a impureza. Não há nada mais refrescante do que um banho completo.

Tratamos de nossa confissão a Deus; em seguida, falaremos sobre nossa confissão às outras pessoas.

Pai celestial,

Dirijo-me ao Senhor em nome de Jesus. Agradeço porque o Senhor abriu meus olhos. Deixarei de apenas pedir desculpas; confessarei minha parcela de responsabilidade. Permitirei que o Senhor remova todas as manchas. Agradeço porque não restará nenhum vestígio delas. Agora, peço ao Senhor que me revigore. Sopre o vento de seu Espírito sobre os ossos secos de minha vida. Lave-me com a água de sua Palavra.

11. PARE ANTES QUE A COISA TODA SAIA DO CONTROLE

Não seria ótimo se houvesse uma forma de evitar todo tipo de conflito intenso? Isso eliminaria ou reduziria consideravelmente o tempo que gastamos confessando os pecados que cometemos com nossa boca. Se encontrarmos a fonte da contenda, poderemos evitar que ela se intensifique em nossa vida.

Conflito interior

Tiago perguntou: "De onde vêm as guerras e contendas que há entre vocês? Não vêm das paixões que guerreiam dentro de vocês?" (Tiago 4:1). Mais uma vez, parece haver aqui um problema interior, uma batalha entre desejos travada em nosso íntimo.

Ele prossegue: "Vocês cobiçam coisas, e não as têm; matam e invejam, mas não conseguem obter o que desejam. Vocês vivem a lutar e a fazer guerras. Não têm, porque não pedem" (4:2). É possível que essa não seja uma batalha nova. Talvez seja a persistência de sintomas de outra luta. E isso se parece muito com o conflito entre Caim e Abel. É inevitável que esse tipo de conflito aconteça quando fazemos de outras pessoas a nossa fonte de provisão. Se elas são a fonte, também podem reter aquilo de que precisamos. Se cremos que outros seres humanos proveem desenvolvimento e segurança, ficamos apreensivas e iradas quando não estamos no controle. Tiago mostra aos seus ouvintes o motivo pelo qual há guerras e contendas entre eles quando, em vez de brigar, poderiam voltar os olhos para o céu e buscar a sabedoria de Deus.

"Quando pedem, não recebem, pois pedem por motivos errados, para gastar em seus prazeres", declarou Tiago (4:3). Essas palavras costumavam me deixar confusa. Tiago estava se contradizendo? Não. Ele não estava admoestando seus ouvintes a "pedir a Deus" e, então, lhes dizendo que seria inútil fazê-lo. O que estava dizendo, então? Creio que podemos usar a seguinte paráfrase para explicar:

> Vocês sabem por que estão sempre brigando? Por causa do que acontece dentro de vocês! Observem suas motivações. Quando vocês não recebem o que desejam, fazem birra e se tornam destrutivos. Continuam a cobiçar os bens e os cargos de outras pessoas. Estão fora de controle e até matariam para conseguir o que querem. Vocês não podem ter o que querem! Deus não permitirá, e vocês precisam lhe perguntar por quê. Em vez disso, vocês se enfurecem e culpam quem está ao redor. Quando pedirem coisas com essas motivações, não as receberão, pois Deus sabe que elas serão desperdiçadas em seus próprios prazeres.

Eu tive de colocar isso em prática com meus filhos. Quando meus lindos anjinhos eram pequenos, por vezes batiam em outras crianças, usavam nomes feios ou tinham acessos de birra para conseguir o que queriam (não muito diferentes da mãe). No calor e na intensidade da batalha com uma criança de dois anos, havia momentos em que parecia mais fácil para todas as partes envolvidas simplesmente lhe dar o que ela queria. Deixávamos que a criança vencesse a batalha na esperança de que, mais adiante, nós vencêssemos a guerra. Talvez até fosse possível, mas apenas com grande dificuldade e com muito mais sofrimento do que no confronto inicial. Recompensar o mau comportamento é algo que, ao final, sempre se volta contra nós. Em última análise, não estamos ajudando a criança, mas prestando um desserviço. Deus é nosso Pai celestial e o mais sábio de todos os pais. Ele sabe quando uma *coisa* desejada colocará nosso caráter em risco.

Preciso confessar que houve ocasiões em que tive acessos de birra para tentar conseguir o que eu queria. Resmunguei e me queixei: "Deus, por que eles têm... E eu não?" e, com isso, mostrei minha cobiça; ou bati o pé e exigi isto ou aquilo. Em outras ocasiões, foram questões interpessoais: "Deus, o Senhor sabe que estou certa, e eles estão errados! Diga ou mostre a eles que eu estou com a razão!". Essa atitude era especialmente conveniente nas discussões com meu marido e com outros cristãos. Eu imaginava Deus interrompendo o momento devocional dessas pessoas para lhes dizer como eu é que estava certa. Claro que essas orações egoístas e interesseiras nunca foram atendidas. No entanto, ao amadurecer e ter a coragem de colocar a mim mesma e as outras pessoas nas mãos de Deus, descobri que a justiça de Deus, e não a minha, prevaleceu. Com frequência, recebi a oportunidade singular de enxergar a mim mesma pela perspectiva de outra pessoa e descobrir que as motivações que eu considerava tão puras na verdade não o eram. Convém lembrar que podemos estar certas e, ao mesmo tempo, erradas.

RECOMPENSAR O MAU COMPORTAMENTO É ALGO QUE, AO FINAL, SEMPRE SE VOLTA CONTRA NÓS.

Há outros motivos pelos quais nossas orações não são respondidas, e um deles é quando há conflitos não resolvidos.

Conflito não resolvido

> Portanto, se você estiver apresentando sua oferta diante do altar e ali se lembrar de que seu irmão tem algo contra você, deixe

> sua oferta ali, diante do altar, e vá primeiro reconciliar-se com seu irmão; depois volte e apresente sua oferta (Mateus 5:23-24).

Quando o templo ainda não tinha sido destruído, as pessoas apresentavam ofertas diante do altar. Era um momento de reflexão e introspecção. A oferta era um animal sem defeito que cobria a iniquidade da vida do ofertante. De modo semelhante, dirigimo-nos a nosso Pai em oração e preparamos nosso coração para apresentar um sacrifício de louvor. Ao sondar os lugares mais profundos de nossa alma, devemos confessar iniquidade caso ali a encontremos; se, contudo, nos lembrarmos de um irmão que tenha algo contra nós, Deus diz que devemos fazer uma pausa no processo, deixar a oferta e, primeiro, procurar nosso irmão para nos reconciliarmos com ele.

Por vezes, é mais fácil falar de resolução de conflito do que praticá-la. Quando o conflito é entre cristãos, pelo menos temos os mesmos referenciais ou paradigmas para resolver problemas. Por vezes, contudo, as pessoas ao nosso redor não querem se reconciliar. O que fazer nesses casos? Certa vez, eu tive essa experiência com uma irmã em Cristo. Sem querer, ofendi uma amiga e senti que se abriu uma brecha entre nós. Sondei meu coração e fui procurá-la. Perguntei se eu tinha feito algo que a havia magoado ou ofendido. Comentei que tinha consciência de que, muitas vezes, eu ofendia outras pessoas sem me dar conta disso e lhe assegurei que não desejava continuar agindo dessa maneira. Ela disse que eu não tinha feito nada de errado, mas a distância entre nós se manteve. Comprei um presente para ela e deixei um bilhete, pedindo perdão novamente. Não tive resposta. Voltei a procurá-la pessoalmente. Ela me garantiu que eu não havia feito nada de errado, mas o distanciamento persistiu. Procurei, então, uma amiga em comum e perguntei se ela sabia o que eu tinha feito para ofender aquela pessoa. Ela não fazia ideia. Por fim, depois de ouvir tudo o que eu tinha a dizer, ela perguntou:

— Lisa, você pediu perdão a ela?

— Sim — respondi.

— Você a procurou?

— Sim, várias vezes.

— Se você fez tudo isso e ela não quer conversar, é hora de deixá-la quieta.

Suas palavras me libertaram. Eu entendi que havia obedecido à instrução de Romanos 12:18: "Façam todo o possível para viver em paz com todos". Havia me sentido extremamente culpada e perdida porque nem mesmo sabia ao certo qual tinha sido a minha transgressão. Na verdade, é bem possível que ela não gostasse mais da nossa amizade, ou que nossos momentos de vida tivessem mudado. Vejo alguns amigos entrarem em minha vida e dela saírem enquanto Deus realiza sua obra em mim ou neles.

Temos a responsabilidade de orar por reconciliação e perguntar a Deus qual deve ser nosso papel nesse processo. Se, com humildade e amor, procurarmos a pessoa com quem desejamos nos reconciliar e, ainda assim, formos rejeitadas, por vezes é porque ela não está em condições de interagir conosco. Ninguém gosta de se sentir rejeitado. A rejeição dói, mas não fracassamos quando obedecemos à Palavra de Deus.

E se o conflito não é com um irmão em Cristo, mas com um adversário? Deus também nos aconselha a esse respeito.

> Entre em acordo depressa com seu adversário que pretende levá-lo ao tribunal. Faça isso enquanto ainda estiver com ele a caminho, pois, caso contrário, ele poderá entregá-lo ao juiz, e o juiz ao guarda, e você poderá ser jogado na prisão. Eu lhe garanto que você não sairá de lá enquanto não pagar o último centavo (Mateus 5:25-26).

Esse adversário está tão determinado que levará você ao tribunal. Podemos quase ver a cena: ocorre uma discussão acalorada que parece impossível de resolver. Cada lado se mantém irredutível em seu posicionamento. Por fim, um deles se cansa e resolve ajuizar um processo contra o outro. Agarra o outro pelo braço e diz: "Agora quem vai resolver é o tribunal!". Antes que o outro sujeito consiga raciocinar, está sendo arrastado às pressas pelas ruas cheias do centro da cidade até o fórum. É preciso pensar rapidamente. Quer se sujeitar aos custos e constrangimentos de um processo legal? Ou seria melhor resolver a questão fora do tribunal e poupar-se de todo o incômodo e despesa? *Sempre* é melhor resolver as coisas sem levá-las ao tribunal! Portanto, no caminho, ele começa a negociar um acordo. Como diz uma tradução, "concorde com seu adversário". Jesus nos incentiva a chegar a um acordo antes que tenhamos de comparecer perante o juiz.

TEMOS A RESPONSABILIDADE DE ORAR POR RECONCILIAÇÃO E PERGUNTAR A DEUS QUAL DEVE SER NOSSO PAPEL NESSE PROCESSO.

O que funciona no caso de um inimigo certamente dará certo no caso do marido ou de amigos. O fato de eu falar o que vinha à minha cabeça por tanto tempo tornou essa parte do processo bastante difícil para mim. Na verdade, minha boca era a manifestação exterior da minha condição interior de orgulho. Houve um tempo em que tive conflitos com um ente querido, algo que não se resolvia. Essa pessoa apresentava seu argumento, e eu apresentava o meu. Era como uma partida de tênis sem esperança de desfecho. Então, pedimos a ajuda de um conselheiro cristão. Depois de um encontro, eu me senti emocionalmente esgotada e imaginei que nem mesmo o aconselhamento poderia nos ajudar. Havíamos apenas desenterrado o passado e magoado mais um ao outro. Quando John e eu, desalentados, estávamos voltando para casa, algo me ocorreu. *Não importa quem esteja com a razão. Não vou mais me defender, nem defender meus posicionamentos. Creio que estou certa e estou tentando fazer com que essa pessoa concorde comigo. Isso não vai acontecer. Mas eu amo essa pessoa e, certa ou errada, eu prejudiquei nosso relacionamento. Portanto, farei o que for necessário para que haja reconciliação.*

Pela primeira vez em anos, fui dormir esperançosa de que Deus poderia realizar sua obra em nossa vida. No dia seguinte, quando voltamos a nos encontrar com o conselheiro, a primeira coisa que eu disse para a outra pessoa foi: "Só quero que você saiba que sinto muito por tudo".

A princípio, não fez diferença para a outra pessoa, mas, de imediato, fez diferença para mim. Creio que o conselheiro se perguntou o que estava acontecendo comigo, levando em consideração a mudança radical em relação ao encontro anterior. A outra pessoa mencionou mais um incidente para que o avaliássemos.

"Sinto muito", disse eu. Não ofereci desculpas nem justificativas. Apenas disse que sentia muito. Outro incidente veio à baila e, mais uma vez, respondi apenas com "sinto muito". Em pouco tempo, a tempestade entre nós foi se acalmando. Abraçamo-nos e saímos de lá ansiosos para passar algum tempo juntos no dia seguinte.

DEUS É FIEL À SUA PALAVRA QUANDO NOS SUJEITAMOS A ELA E ANDAMOS EM CONFORMIDADE COM ELA.

Deus é fiel à sua Palavra quando nos sujeitamos a ela e andamos em conformidade com ela. Talvez a mudança não aconteça de imediato, mas certamente acontecerá. Mesmo que o coração de outra pessoa ainda esteja cheio de raiva em relação a nós, Deus nos guardará em perfeita paz.

Muitas vezes, essa é uma situação extremamente difícil para nós, em especial quando temos um histórico de problemas com ira. A última coisa que desejamos fazer é ser a primeira pessoa a se render. Queremos lutar até o final. Eu tinha a impressão equivocada de que estava vencendo quando conseguia ter a última palavra, mesmo que de soslaio. Eu pensava que quem vencia era aquele que acertava mais golpes. Mas eu estava errada. Jamais vencemos quando não temos o controle de nossa boca, o que, aliás, é algo fundamental.

O poder da língua

> Todos tropeçamos de muitas maneiras. Se alguém não tropeça no falar, tal homem é perfeito, sendo também capaz de dominar todo o seu corpo (Tiago 3:2).

É nesse ponto que nossa capacidade de verbalizar nossos pensamentos apresenta desvantagem. Aquilo que eu digo é, sem sombra de dúvida, um desafio constante para mim. Estou muito longe de ser uma mulher perfeita, que exerce firme domínio sobre o corpo. Felizmente, porém, pela graça de Deus, eu fiz um grande progresso. Em vez de pular esses versículos, como eu costumava fazer, uso-os como halteres para me exercitar. Em seguida, Tiago ilustra de modo bastante detalhado a importância de dominar a própria língua:

> Quando colocamos freios na boca dos cavalos para que eles nos obedeçam, podemos controlar o animal todo. Tomem também como exemplo os navios; embora sejam tão grandes e impelidos por fortes ventos, são dirigidos por um leme muito pequeno, conforme a vontade do piloto. Semelhantemente, a língua é um pequeno órgão do corpo, mas se vangloria de grandes coisas. Vejam como um grande bosque é incendiado por uma simples fagulha (Tiago 3:3-5).

Tiago apresenta algumas imagens vívidas. Primeiro, temos o cavalo, que é bem maior e mais forte do que o homem, mas pode ser conduzido ou detido pelo freio em sua boca. (Pensei, em mais de uma ocasião, que essa seria uma excelente invenção para os seres humanos também.) Em seguida, temos um enorme navio que corta os mares, mas é dirigido por um pequeno leme controlado pelo piloto. Temos também a língua, que, embora seja comparativamente pequena, dirige o curso de nossa vida. É como uma pequena fagulha, capaz de destruir um grande bosque.

> Assim também, a língua é um fogo; é um mundo de iniquidade. Colocada entre os membros do nosso corpo, contamina a pessoa por inteiro, incendeia todo o curso de sua vida, sendo ela mesma incendiada pelo inferno (Tiago 3:6).

Tiago relacionou a língua diretamente ao fogo e disse que ela é "um mundo de iniquidade" entre os membros do corpo. Tem o potencial de nos contaminar por inteiro e de nos fazer trilhar o caminho da destruição. Também tem o poder de nos remover do reino das trevas e nos transportar para o reino da luz.

> Se você confessar *com a sua boca* que Jesus é Senhor e crer em seu coração que Deus o ressuscitou dentre os mortos, será salvo. Pois com o coração se crê para justiça, e com a boca se confessa para salvação (Romanos 10:9-10, grifo da autora).

A mesma coisa que nos coloca em apuros também pode nos tirar deles: "A língua tem poder sobre a vida e sobre a morte; os que gostam de usá-la comerão do seu fruto" (Provérbios 18:21). Fomos formadas à semelhança de nosso Pai, que usa suas palavras para criar e dar vida. Isso significa que devemos escolher abençoar as outras pessoas com nossas palavras em vez de sujeitá-las. Somos chamadas a ser perfeitas como ele é perfeito. Ele não exige perfeição física. A chave é aquilo que falamos.

Quando colocamos um freio na língua, conseguimos controlar todo o nosso ser e sujeitá-lo à Palavra da Verdade.

Tiago observa: "Quem é sábio e tem entendimento entre vocês? Que o demonstre por seu bom procedimento, mediante obras praticadas com a humildade que provém da sabedoria" (Tiago 3:13). É preciso termos humildade para permanecer caladas quando nosso maior desejo é nos defender. É preciso termos humildade para retribuir com bondade um ato traiçoeiro. Nossa vida seguirá nossa boca. Em geral, não são as coisas públicas, mas as coisas privadas, que nos colocam em apuros. Na verdade, porém, não existem segredos. Isso significa que jamais devemos falar e que devemos viver em estado de medo constante? Não, nós recebemos a seguinte instrução:

> Falem e ajam como quem vai ser julgado pela lei da liberdade; porque será exercido juízo sem misericórdia sobre quem não foi misericordioso. A misericórdia triunfa sobre o juízo! (Tiago 2:12-13).

Temos aqui, mais uma vez, o princípio da medida: a medida que usarmos para outras pessoas será usada em relação a nós. Essa é a ordem da lei que dá liberdade. Quem executa julgamento sem misericórdia colhe julgamento sem misericórdia. Embora a maioria de nós não faça parte do sistema judiciário, todos os dias participamos dele em maior ou menor grau. Ele aparece em nossas ações e palavras.

QUANDO COLOCAMOS UM FREIO NA LÍNGUA, CONTROLAMOS TODO O NOSSO SER.

Tiago advertiu: "Contudo, se vocês abrigam no coração inveja amarga e ambição egoísta, não se gloriem disso, nem neguem a verdade" (Tiago 3:14).

Quando essas coisas estão escondidas em nosso coração, é difícil falar e agir com bondade. Elas sempre turvam nossas ações e influenciam nossas conversas. Ofensas não resolvidas em nossa vida se tornam o filtro pelo qual fazemos passar todas as coisas. Se é o filtro da inveja, temos dificuldade de nos alegrar com as outras pessoas. Se é o filtro das ambições egoístas, usamos o benefício próprio para avaliar tudo.

Jesus usou a hora do jantar na casa de um fariseu para ilustrar nitidamente como nossas palavras podem nos contaminar. Os líderes religiosos estavam indignados porque os discípulos de Jesus não se haviam purificado conforme a tradição dos anciãos. Não tinham lavado as mãos antes de comer! (Em minha casa, considero essa tradição boa e necessária. Sabe-se lá o que passou pelas mãos de quatro meninos ao longo do dia...) Jerusalém, centro de várias culturas, um lugar cheio de animais e moscas, e com pouco saneamento, não era uma cidade conhecida pela limpeza. Era muito diferente da cidade de hoje. Era importante, portanto, que as pessoas se lavassem antes das refeições. No entanto, Jesus contrasta essa tradição que promovia a saúde com outra tradição ainda mais importante: "O que entra pela boca não torna o homem 'impuro'; mas o que sai de sua boca, isto o torna 'impuro'" (Mateus 15:11).

QUEM EXECUTA JULGAMENTO SEM MISERICÓRDIA COLHE JULGAMENTO SEM MISERICÓRDIA.

Mãos sujas contaminam os alimentos, mas, em última análise, não é esse tipo de contaminação que provoca morte. Essa repreensão ofendeu terrivelmente os fariseus. Eles eram especialistas na aparência exterior de limpeza. Mais tarde, Jesus explicaria suas palavras aos discípulos: "Não percebem que o que entra pela boca vai para o estômago e mais tarde é expelido? Mas as coisas que saem da boca vêm do coração, e são essas que tornam o homem 'impuro'" (Mateus 15:17-18).

Questões do coração

Mais uma vez, vemos que, cedo ou tarde, a boca fala do que está cheio o coração. Havia ocasiões em que eu tinha medo de que meu coração estivesse cheio de víboras. Temia que, se abrisse a boca, saíssem dela palavras com veneno letal.

> Pois do coração saem os maus pensamentos, os homicídios, os adultérios, as imoralidades sexuais, os roubos, os falsos testemunhos e as calúnias. Essas coisas tornam o homem "impuro"; mas o comer sem lavar as mãos não o torna "impuro" (Mateus 15:19-20).

Encontramos aqui uma lista de maus pensamentos. Jesus fala de homicídio e adultério. Não é interessante que ambos aconteçam primeiro no coração? Jesus disse que quem odeia seu irmão é homicida e, se alguém olha para uma mulher com intenção impura, já cometeu adultério com ela em seu coração.

Portanto, são as questões do coração que produzem ou evitam brigas. Parar as coisas antes que desandem é uma atitude relacionada mais estreitamente com o que acontece do lado de dentro, e não do lado de fora. Entrar em desavenças é como atravessar um rio. Só descobrimos quão rápidas ou traiçoeiras são as correntezas quando estamos bem no meio da travessia e não temos mais como voltar. Com frequência, consigo identificar o ponto no qual uma conversa desandou. Quase posso ouvir o Espírito Santo me advertir: "Fique calma, abaixe o tom de voz, responda com bondade. Não diga o que você quer; em vez disso, ouça minha voz mansa e suave e diga minhas palavras". Às vezes, sou obediente e atenta a essas palavras; outras vezes, tento inserir mais um comentário antes de obedecer e descubro como minha insensatez custa caro. Provérbios 15:1 nos instrui: "A resposta calma desvia a fúria, mas a palavra ríspida desperta a ira".

O segredo para sermos ouvidas

Descobri o segredo para ser ouvida. Na verdade, é bastante simples: quando desejamos ser ouvidas, temos de transmitir nossa mensagem da maneira que gostaríamos de ouvi-la. Meus filhos, meu marido, meus empregadores, meu cachorro, aliás todos ao meu redor ouvem com maior atenção quando me mostro mais mansa e serena. Sei que prefiro que os outros falem comigo em tom gentil e respeitoso. Consigo ouvir muito melhor quando não gritam comigo. Não é o volume ou a repetição de palavras que chamam a atenção e obtêm o respeito e o compromisso alheios; é o peso daquilo que dizemos e o tom em que falamos. Ninguém leva a sério uma pessoa que está dando chilique. Talvez saiam do caminho dela por um instante, mas isso terá um preço depois. Perdemos a calma e levantamos o tom de voz por vários motivos. Eis alguns deles:

1. Temos medo de que não estejamos sendo ouvidas.
2. Gritar produziu resultados (aquilo que queríamos) no passado.
3. Queremos intimidar ou controlar as outras pessoas.
4. Foi o que vivenciamos na infância.
5. Ainda estamos com raiva por causa de uma questão não resolvida.
6. É um mau hábito.

A maioria dessas razões nasce do medo. Deus não nos deu espírito de covardia, mas de poder, amor e equilíbrio. Gritamos e damos chilique quando nos sentimos impotentes. Procuramos intimidar as outras pessoas e controlá-las quando buscamos nossos próprios interesses. Voltamos ao passado, quando o amor perfeito ainda não lançou fora o medo. Reagimos exageradamente quando ainda carregamos no presente o peso dos problemas do passado. Persistiremos em nossos maus hábitos se não tivermos nossas mentes renovadas conforme as verdades da Palavra de Deus. Cederemos às táticas de medo sempre que deixarmos de colocar o controle nas mãos de Deus e, em vez disso, tentarmos mantê-lo em nossas mãos. Muito tempo atrás, descobri que não importa como as coisas pareçam: eu nunca estou no controle. Posso controlar a mim mesma; em última análise, porém, Deus está no controle de tudo. Quando nos recusamos a nos render e a nos sujeitar à verdade e à vontade de Deus, mostramos que há incredulidade em nossa vida. A incredulidade se encontra na origem de qualquer quebra de confiança que tenhamos em nosso relacionamento com Deus.

Temos medo de que ele não nos livre ou que não faça a situação cooperar para nosso bem e, portanto, assim como os filhos de Israel à beira de sua terra prometida, gememos: "E quanto a nossos cônjuges e filhos?". Em outras palavras: "E quanto a mim? E quanto a meus entes queridos?".

Mas, para que paremos antes que as coisas desandem, temos de confessar toda e qualquer área de incredulidade e entregá-la a Deus. Temos de tomar em nosso coração a firme decisão de crer de uma vez por todas que, se honrarmos a Deus ao nos sujeitarmos à sua Palavra, ele honrará sua Palavra e transformará nossas circunstâncias. Temos de tomar a firme decisão de governar nosso espírito e nossa vida em conformidade com os estatutos de Deus. Temos de parar de ser insensatas e nos apegar à sabedoria: "O tolo dá vazão à sua ira, mas o sábio domina-se" (Provérbios 29:11).

PERSISTIREMOS EM NOSSOS MAUS HÁBITOS SE NÃO TIVERMOS NOSSAS MENTES RENOVADAS CONFORME AS VERDADES DA PALAVRA DE DEUS.

Quem dá vazão a toda a sua ira é tolo. Um dos principais requisitos para nos irarmos sem fazer tolices é manter a calma. "Dar vazão" significa "falar impensadamente, desabafar, soltar ou verbalizar". Imagine guardas vigiando sua boca. Eles estão ali para garantir que algumas palavras nunca passem por seus lábios. A pessoa sábia tem os mesmos sentimentos e as mesmas palavras que clamam insistentemente para ser expressas, mas ela se guarda; ela está no controle, e não fora de controle.

POSSO CONTROLAR A MIM MESMA; EM ÚLTIMA ANÁLISE, PORÉM, DEUS ESTÁ NO CONTROLE DE TUDO.

> Quando são muitas as palavras, o pecado está presente, mas quem controla a língua é sensato. A língua dos justos é prata escolhida, mas o coração dos ímpios quase não tem valor (Provérbios 10:19-20).

Quando damos vazão à ira, geralmente usamos uma porção de palavras negativas. A mulher sábia pode falar, deseja falar, mas exerce domínio sobre suas palavras. Quando a pessoa justa fala, usa palavras cuidadosamente escolhidas, palavras que têm valor, e não palavras inconsequentes e prejudiciais. Observe, mais uma vez, o paralelo traçado entre língua e coração: língua descontrolada = coração perverso; língua controlada = coração sábio. Há mais um passo que temos de dar.

LÍNGUA DESCONTROLADA = CORAÇÃO PERVERSO;
LÍNGUA CONTROLADA = CORAÇÃO SÁBIO.

Escolha ignorar ofensas

"A sabedoria do homem lhe dá paciência; sua glória é ignorar as ofensas" (Provérbios 19:11). Vemos aqui também que a pessoa tardia para se irar é tardia para falar e, portanto, tardia para pecar. O escritor de Provérbios diz que nossa "glória" se encontra em ignorar transgressões ou ofensas. Agir dessa forma dá à pessoa cristã honra, louvor, eminência e distinção. Quando adotamos essa conduta, seguimos o exemplo de Cristo.

> Para isso vocês foram chamados, pois também Cristo sofreu no lugar de vocês, deixando-lhes exemplo, para que sigam os seus passos. "Ele não cometeu pecado algum, e nenhum engano foi encontrado em sua boca." Quando insultado, não revidava; quando sofria, não fazia ameaças, mas entregava-se àquele que julga com justiça (1Pedro 2:21-23).

Só será possível ignorar ofensas, insultos e ameaças se estivermos firmemente comprometidas com nosso Pai, o justo Juiz. Muitas vezes, quando nossos filhos têm alguma divergência, recorrem a nosso senso de imparcialidade. Um deles diz: "Ele não está fazendo as tarefas domésticas dele" ou "Ele passou tempo demais no computador". Evidentemente, seu desejo é que, primeiro, sua causa seja ouvida e, de preferência, que seu desejo seja atendido; e, em segundo lugar, que a justiça seja feita. John e eu costumamos intervir e arbitrar da melhor maneira possível, mas, muitas vezes, nossos filhos não consideram justas nossas decisões. Quando isso acontece, existe o perigo de eles próprios tomarem as providências. Não estou falando de resolução de conflito, algo que incentivamos. Estou falando de vingança por supostas ofensas.

— Por que você bateu no seu irmão?

— Porque ele...

Você conhece bem a lista de razões. Quando dizemos que eles devem apresentar o problema a nós em vez de bater no irmão, não é raro ouvirmos: "Mas, da última vez, vocês não fizeram nada". Traduzindo: "Não gostei da forma de vocês lidarem com a situação da última vez e, portanto, não vou me arriscar dessa vez. Eu mesmo vou resolvê-la!".

John e eu somos os primeiros a reconhecer que cometemos erros como pais, mas, felizmente, Deus não erra! Ele é o justo e perfeito Juiz. Seu veredicto e sua sentença talvez não venham no tempo e da forma que gostaríamos, mas seus caminhos são perfeitos, enquanto os nossos são falhos. Quando ignoramos uma ofensa, somos como crianças confiantes que dizem: "Pai, eu sei que posso confiar no Senhor. Esse problema é grande e aflitivo demais para mim. Não vou revidar; em vez disso, coloco a situação aos teus pés e perdoo". Agir desse modo é sinal de nobreza. É imitar e seguir o Filho de Deus em nossa vida terrena. Jesus disse a seus discípulos: "Se [seu irmão] pecar contra você sete vezes no dia, e sete vezes voltar a você e disser: 'Estou arrependido', perdoe-lhe" (Lucas 17:4).

Haverá ofensas que cada um nós terá de ignorar, ou seja, relevar e enxergar para além delas ou acima delas. Ignorar uma ofensa é oferecer graça e misericórdia quando preferíamos aplicar julgamento.

Recapitulando, eis algumas opções úteis para você parar antes que as coisas desandem:

EXAMINE SEU CORAÇÃO À LUZ DA PALAVRA DE DEUS.

1. Examinar o próprio coração à luz da Palavra de Deus.
2. Resolver conflitos pendentes.
3. Solucionar a questão ao concordar com o adversário.
4. Controlar a própria língua.
5. Ser misericordiosa.
6. Ser honesta.
7. Responder calmamente.
8. Dirigir-se a outras pessoas como gostaria que elas falassem com você.
9. Escolher as palavras com sabedoria.
10. Ignorar ofensas e entregá-las a Deus.

No capítulo seguinte, vamos tratar das consequências físicas da ira doentia. Nunca é demais valorizar a importância de resolver conflitos de maneira saudável.

Pai celestial,

Dirijo-me ao Senhor em nome de Jesus. Sei que é possível evitar alguns conflitos. Escolho caminhar na luz de sua verdade e como filha do Altíssimo. Crie em mim um coração puro a fim de que eu possa ouvir sua voz e não pecar contra o Senhor. Sempre que possível, desejo viver em paz com todos. Guardarei sua Palavra em meu coração para não pecar contra o Senhor. Espírito Santo, ajude-me a escolher minhas palavras de forma que honrem a Deus. Ajude-me a ignorar algumas ofensas. Sei que, por vezes, serão coisas pequenas e insignificantes, mas, em outras ocasiões, terei de abrir mão de coisas extremamente aflitivas. Pai, escolho confiar no Senhor. Perdoe quaisquer áreas de nosso relacionamento em que a incredulidade me tenha afastado do Senhor. Renuncio a todo o domínio exercido pelo medo e escolho andar em poder, amor e equilíbrio. Avive essas verdades em meu espírito até que se tornem tão habituais quanto a raiva era em outros tempos. Agradeço porque o Senhor é o Autor e Consumador de minha fé.

12. QUANDO O CORPO FALA

Ombros tensos, dentes cerrados e olhos faiscantes, cabeça erguida e ligeiramente inclinada para o lado, em sinal de arrogante desinteresse. A mulher caminha com rapidez e firmeza no meio da multidão. Consciente daqueles que estão ao seu redor apenas quando eles tomam conhecimento de sua presença, está preparada para empurrar ou repreender quem se colocar em seu caminho. De certa forma, ela *procura* conflito, pois ele lhe dá propósito e a oportunidade de extravasar parte da tensão acumulada que ela sente expandir-se em seu íntimo. Quanto mais tempo levar para liberar essa tensão, mais irritada a mulher ficará e mais exasperação causará a outras pessoas. Ela se aborrece no meio da multidão, no trabalho, na igreja, no carro, no supermercado, em casa. Não tem onde se refugiar da raiva.

No momento, ela não sabe ao certo se deseja encontrar refúgio. A raiva lhe confere poder e força, fazendo-a sentir-se invulnerável. Ninguém sabe quando ou onde ela vai explodir novamente. Ela gosta de gerar essa incerteza e de deixar um rastro de caos por onde passa. Quando tudo está fora de controle, é ela quem está no controle. Somente ela sabe o que realmente está acontecendo. Ela guarda um segredo: ainda que todos mudassem, ainda que tudo estivesse perfeito e ainda que tudo desse certo para ela, a raiva não passaria. Uma coisa é sentir ira e aborrecimento momentâneos; outra bem diferente é viver em estado perpétuo de cólera, próximo do ponto de fervura. A qualquer instante, essa mulher pode aumentar a chama e deixar a raiva entrar em plena ebulição novamente. Funcionários, conhecidos e entes queridos aprenderam a evitar a todo custo que isso aconteça e procuram, ansiosamente, agradá-la. Os mais sábios descobrem que isso, contudo, é impossível e se afastam. Ela não se importa. Não se permite ter essa preocupação; é jovem e forte, e encontrará outros relacionamentos.

Há outra mulher. Seus ombros estão sempre encurvados para frente, como se estivesse se escondendo debaixo de um xale que a envolve apertadamente. Seu olhar assustado se move depressa, reagindo a medos invisíveis e, depois, ela assume a mesma expressão distante, cheia de decepção. Seu pescoço também é encurvado para frente, sob o peso da cabeça, que se inclina com vergonha. Ao contrário da outra mulher, ela tem grande consciência das pessoas ao seu redor. Imagina que olham para ela com desprezo e falam dela em sussurros de desdém; por isso, ela se encolhe na presença dos outros. Não é uma ameaça para elas, pelo menos não da mesma forma que é para si mesma. Ela caminha hesitante por seu mundo de desconfiança e medo, sentindo-se usada e maltratada. São os outros que controlam a sua vida. Nada é justo; ela é a vítima. É cheia de raiva, mas a esconde dentro de si. Por onde ela passa, a rejeição a segue como uma sombra. Outros tentaram estender a mão e tirá-la de seu mundo escuro, mas, uma vez que eles ficavam aquém da perfeição, ela desprezou suas tentativas e permaneceu na familiaridade de sua prisão solitária.

"Fui magoada repetidas vezes e não vou deixar que isso volte a acontecer", resmunga ela com determinação, enquanto vai se arrastando pela vida, como um ímã que atrai exatamente as ofensas que ela teme.

Atitudes do coração

Embora pareça improvável, a mulher forte e cheia de raiva e a mulher fraca e abatida se encontram em situações bem parecidas. É bem provável que ambas se sintam sozinhas, mesmo que sejam casadas, pois lhes faltam os ingredientes básicos para a verdadeira intimidade. Os anos se passam, e talvez elas cruzem uma com a outra na rua e vejam refletidas uma na outra as linhas na testa franzida com rugas prematuras, os punhos semicerrados e as costas encurvadas sob um peso invisível. Talvez você pergunte: "Essas não são decorrências normais do envelhecimento?".

Sim e não. Ninguém escapa da passagem do tempo e da força da gravidade. No entanto, nossas reações ao que acontece ao longo dos anos determinam a prontidão de nosso sorriso, a luz de nossos olhos e a suavidade de nossas expressões. As atitudes de nosso coração se gravam mais firmemente no semblante do que a ilusão dos cosméticos.

"A alegria do coração transparece no rosto, mas o coração angustiado oprime o espírito" (Provérbios 15:13). A alegria sempre dura mais que a beleza. A beleza é passageira, mas o semblante bondoso e suave permanece. É possível ter um rosto alegre em qualquer idade. O brilho da alegria atenua os efeitos da passagem dos anos. Seu rosto pode ser marcado por sorrisos que se abriram repetidas vezes ou pela testa que se franziu com tanta frequência. Você pode escolher a expressão inconsciente de seu rosto em repouso, aquela à qual ele volta quando ninguém está olhando. Essa expressão reflete o tema de seus diálogos interiores ou das meditações de seu coração. O inverso também é verdadeiro: "Como o vento do norte traz chuva, assim a língua fingida traz o olhar irado" (Provérbios 25:23).

A ALEGRIA SEMPRE DURA MAIS QUE A BELEZA.

Palavras feias que brotam de um coração amargurado produzem um semblante carrancudo tão certamente quanto quem semeia vento colhe tempestade. Lembre-se de que Jesus nos disse que não é o que entra na pessoa, mas o que sai dela, que a contamina. Quando permitimos que a amargura jorre de nossa boca, é inevitável que ela apareça em nosso rosto.

Se cometermos a tolice de nos vestir de fúria ou de nos cobrir com o manto de questões passadas não resolvidas, cedo ou tarde, sem falta, essa escolha esgotará nossa vida. Destruiremos relacionamentos ao nosso redor e, então, nos voltaremos contra nós mesmas em ira autodestrutiva. É o que acontece quando o alvo de nossa ira são os outros ou nós mesmas.

A RAIVA HABITUAL SEMEIA SUSPEITA E MEDO ONDE DEVERIA HAVER CONFIANÇA; VIOLÊNCIA ONDE DEVERIA HAVER SEGURANÇA; E HOSTILIDADE ONDE DEVERIA HAVER INTIMIDADE.

A ira pecaminosa ou a raiva nos faz empurrar para longe aqueles de quem precisamos e a quem desejamos ter por perto. Todos nós precisamos de relacionamentos que nos proporcionem apoio e permitam que nos desenvolvamos e cresçamos ao longo da vida. A raiva habitual semeia suspeita e medo onde deveria haver confiança; violência onde deveria haver segurança; e hostilidade onde deveria haver intimidade.

A natureza feminina

A mulher foi projetada com cuidado e ternura. Não fomos formadas com ângulos pronunciados, mas com curvas suaves. Fomos criadas com grande capacidade para ternura e compaixão. Sentimos o amor e a dor no profundo de nosso ser. Temos empatia e nos sensibilizamos diante da dor, das lutas e da perda de desconhecidos. Quando não nos é permitido expressar essas emoções de forma válida, corremos o risco de explodir ou de implodir.

Quando agimos de modo contrário ao nosso *design* ou ao propósito da criação, na verdade lutamos fisicamente contra nosso corpo. Deus deseja que sejamos saudáveis e apaixonadas, amorosas e compassivas. Quando não o somos, violamos o papel vivificador, fortalecedor e sustentador de nossa vida. Este papel não cabe apenas às mães de família. Mary, uma amiga minha, sempre transmite apoio e vitalidade em suas interações com outras pessoas. Ela diz a verdade com amor, o que significa que ela se expressa de uma forma que lhe permite ser ouvida. Ela é mansa e gentil, mas forte. É uma dedicada serva do Senhor que vive para servir a outros. É solteira, mas pratica diariamente os princípios que caracterizam uma mulher piedosa. Quando nos faltam esses princípios, a carência fica evidente em nossos relacionamentos.

Aqui estão dois dos "tapas na cara" de que menos gosto nas Escrituras. Eu os ouvia com frequência quando era recém-casada: "Melhor é viver num canto sob o telhado do que repartir a casa com uma mulher briguenta" (Provérbios 25:24). E a versão ainda *menos* agradável da mesma ideia: "Melhor é viver no deserto do que com uma mulher briguenta e amargurada" (Provérbios 21:19).

Viver em um canto sob o telhado significava estar exposto às intempéries. O telhado oferece abrigo da chuva, da neve, do vento ou do sol escaldante. Salomão estava dizendo que era melhor viver nessas condições do que compartilhar o conforto e o abrigo de uma casa com uma esposa briguenta. Há mais perigo e dano debaixo desse telhado do que em cima dele. Eu costumava dizer a John que, naquela época, o telhado era, na verdade, um terraço, usado como alternativa para a varanda, mas não era fácil desconsiderar a outra passagem sobre o deserto. Melhor viver no deserto com serpentes e escorpiões (sem falar na falta de vegetação e umidade, bem como na exposição às fortes intempéries) do que com uma esposa irada, rabugenta e que vive discutindo. Os conflitos se tornam desgastantes não apenas para os outros, mas para nós mesmas.

Saúde do coração

"O coração bem-disposto é remédio eficiente, mas o espírito oprimido resseca os ossos" (Provérbios 17:22). A Bíblia nos dá um entendimento impressionante sobre a fonte de nossa saúde. A medula (ou o centro dos ossos) tem umidade. É ali que o sistema imunológico e as células sanguíneas são fortalecidos. Nossa vida está no sangue, e o sangue é fortalecido na medula óssea. Quando os ossos secam, a fonte de nossa vida é comprometida. Essa ideia é reiterada em Provérbios 14:29-30: "O homem paciente dá prova de grande entendimento, mas o precipitado revela insensatez. O coração em paz dá vida ao corpo, mas a inveja apodrece os ossos".

A Bíblia contrasta a paciência com a precipitação e a paz com a inveja. A paciência dá entendimento, enquanto a precipitação evidencia toda a insensatez da pessoa. O coração em paz dá vigor ao corpo, enquanto a inveja e a maldade apodrecem até os ossos. Não é impressionante que algumas formas de câncer possam ser tratadas com um transplante de medula? A saúde de nossa medula é fundamental. Não há nada, porém, mais escondido. A medula fica envolta em tecido ósseo duro, cercado de músculos, órgãos e quilômetros de vasos sanguíneos; se há um problema na medula, muitas vezes só é possível detectá-lo com testes sofisticados. Os ossos dão sustentação ao nosso corpo; são a estrutura de apoio sem a qual não temos como ficar de pé.

O CORAÇÃO EM PAZ DÁ VIGOR AO CORPO, ENQUANTO A INVEJA E A MALDADE APODRECEM ATÉ OS OSSOS.

A Bíblia confirma que há uma relação efetiva e permanente entre coração e saúde. Não estou dizendo que todos os enfermos têm um problema subjacente de coração. Por certo, muitos ficam doentes ou morrem ainda jovens, na inocência da infância. Vivemos em um mundo caído, permeado pela maldição de doenças e fraquezas. Estou dizendo que a amargura, o rancor, a ira não resolvida e outras questões do coração afetam diretamente nosso sistema imunológico. No livro *Make Anger Your Ally* [Faça da ira sua aliada], Neil Clark Warren relatou que o ressentimento — e próximo dele, em segundo lugar, a frustração — está associado com mais frequência a males que causam desconforto. Warren relacionou exemplos desses males comuns provocados pela ira não resolvida: enxaquecas, problemas de estômago, resfriados, colite e hipertensão.

Outros estudos incluíram doenças como alguns tipos de artrite, vários problemas respiratórios, problemas de pele, pescoço, coluna e até câncer. Sei que fatores genéticos e outras questões externas como estilo de vida e dieta precisam ser levados em consideração, mas a Bíblia declarou, muitos séculos atrás, aquilo que estamos descobrindo hoje. Provérbios 3:5-8 traz rica sabedoria a respeito de como devemos viver:

> Confie no Senhor de todo o seu coração e não se apoie em seu próprio entendimento; reconheça o Senhor em todos os seus caminhos, e ele endireitará as suas veredas. Não seja sábio aos seus próprios olhos; tema ao Senhor e evite o mal. Isso lhe dará saúde ao corpo e vigor aos ossos.

Essa passagem traz uma promessa: se vivermos de acordo com o plano de Deus, ele dará saúde ao corpo e vigor aos ossos. Também aqui Deus trata do cerne da questão. Ele não apenas proporciona saúde ao corpo, mas também provê um futuro saudável ao dar vigor aos ossos.

Transtornos alimentares podem ser resultado de ira não resolvida. A pessoa foi profundamente violada e deseja recolher-se e desaparecer. Muitas vezes, ainda não encontrou uma forma válida e saudável de expressar sua ira e, portanto, recorre à autopunição. Como se pode imaginar, essa reação à rejeição se transforma em grande tormento. Lutamos contra um inimigo invisível, cuja voz parece inescapável. Sei disso por experiência própria; eu vivi essa mentira. (Se você luta com esse problema, meu livro *You Are Not What You Weigh* [Você não é o que você pesa] pode ser de grande ajuda.)

TRANSTORNOS ALIMENTARES PODEM SER RESULTADO DE IRA NÃO RESOLVIDA.

Se você é mais jovem, talvez não tenha visto os efeitos da ira descontrolada; se é mais velha, é provável que saiba do que estou falando. Uma vez que a ira ataca a base de nosso sistema imunológico, é importante darmos ouvidos às advertências. Eis uma passagem bíblica que traz uma imagem vívida: "Como a cidade com seus muros derrubados, assim é quem não sabe dominar-se" (Provérbios 25:28). Outra versão diz: "Como uma cidade destruída e sem muros, assim é o homem que não pode conter-se" (A21).

Muros intransponíveis

Nos tempos bíblicos, era comum construir muros ao redor de cidades para protegê-las. Os muros eram um obstáculo que mantinha do lado de fora animais selvagens e inimigos. Não estamos acostumados a esse conceito, mas as cidades antigas eram cercadas por muralhas instransponíveis, que serviam de advertência para quem estivesse do lado de fora: "Só permitiremos que você entre quando soubermos que não representa uma ameaça". Também serviam de barreira de proteção para aqueles que viviam do lado de dentro dos muros. As portas da cidade eram fechadas todas as noites e abertas novamente pela manhã. Os habitantes aprendiam a confiar nos muros e nos guardas junto às portas, que os protegiam de invasores e vandalismo. Em tempos de quarentena, os muros também isolavam os doentes dos outros habitantes. Serviam até como barreira contra o vento, a chuva e as tempestades do deserto.

Nesse contexto, imagine uma cidade sem muros, que foi conquistada e saqueada. Inimigos e invasores entram e saem quando bem entendem. Durante o dia, a cidade está à mercê de ladrões, bandidos e exércitos inimigos. Não há onde esconder qualquer coisa de valor. À noite, chacais e outros animais selvagens vasculham as ruínas na escuridão e enchem os habitantes de medo. Infecções e doenças se esgueiram pelas sombras. Quem gostaria de viver em um lugar desprotegido, onde não há abrigo algum?

Quando não governamos nosso espírito, habitamos um lugar sombrio como esse. Nosso coração deixa de ser um refúgio de segurança e paz, tornando-se, então, uma espécie de cidade invadida e saqueada. Enquanto fugimos de um invasor, somos atacadas por outro. Preocupamo-nos continuamente com nossa segurança, mas ela é uma realidade impossível. Tudo o que havia de real valor foi levado embora, e aqueles que protegiam a cidade foram reduzidos a uma guarda simbólica. O inimigo circula livremente, sem nenhum respeito quanto aos parâmetros interiores e exteriores de nossa vida. A frustração se torna nosso pão diário, e a tristeza e o arrependimento, nossa porção. Depois de anos defendendo essa cidade indefensável, muitas de nós vão se esconder em um canto escuro das ruínas.

E se, mesmo depois de perceber que morte e vida se encontram no poder da língua, ainda comemos frutos amargos? Saímos da terra do Egito cheias de raiva, amaldiçoando em vez de abençoar. E, em vez de encontrar a terra prometida, descobrimos que nós, nosso casamento e outros relacionamentos estão em um deserto de ruínas. Todas as fortalezas nas quais havíamos depositado nossa esperança foram destruídas. Até mesmo o templo de nosso corpo físico está sofrendo a devastação de anos de raiva irrefreada e palavras de ódio. O que nos resta? Como a cidade arruinada poderá ser reconstruída? Depois do arrependimento, vem a reconstrução. Você se arrependeu; agora é hora de iniciar o processo de cura.

Cura

De acordo com Provérbios 15:4, "o falar amável é árvore da vida, mas o falar enganoso esmaga o espírito". No lugar da língua enganosa, use palavras que curam. Comece a pronunciar palavras vivificadoras a respeito de suas circunstâncias. Aprenda a Palavra de Deus e a devida aplicação a seu casamento, seu trabalho, seus filhos e suas amizades. Comece a abençoar essas áreas de sua vida e recuse-se a amaldiçoá-las. Deixe que a Palavra de Deus transforme sua alma e você colherá fisicamente os benefícios.

O apóstolo João escreveu ao seu amigo Gaio: "Amado, oro para que você tenha boa saúde e tudo lhe corra bem, assim como vai bem a sua alma" (3João 1:2).

O bem-estar de sua alma afeta sua saúde. Não é possível separar as duas coisas. Elas estão intimamente entrelaçadas. Embora as palavras não possam causar dano físico imediato, a Bíblia as compara a uma arma letal.

> Há palavras que ferem como espada, mas a língua dos sábios traz a cura (Provérbios 12:18).

Posso quase imaginar um adversário enfurecido atacando e investindo violentamente contra outro. Palavras cheias de cólera e pronunciadas aos brados são acompanhadas de golpes penetrantes e dolorosos. Um deles traspassa o ombro; outro, o estômago; outro ainda, o antebraço. Primeiro, a vítima fica atordoada, depois horrorizada e, por fim, prostrada ao chão. Faz um balanço dos ferimentos e vê o sangue manchar toda a parte superior de seu corpo. Sente-se atordoada e fraca e fecha os olhos por um instante. É envolta em uma espessa neblina escura.

NO LUGAR DA LÍNGUA ENGANOSA, USE PALAVRAS QUE CURAM.

Então, ela ouve outra voz. É mansa e gentil. No lugar da escuridão, uma névoa morna e dourada se espalha ao seu redor. As palavras de cura neutralizam as palavras pronunciadas para ferir. Ela sente um suave calor acalmar a dor fria e ardente. Cada palavra agradável tem efeito restaurador. A pessoa antes prostrada desperta como que de um sonho e descobre-se restaurada; as feridas causadas pelas palavras foram curadas.

> As palavras agradáveis são como um favo de mel, são doces para a alma e trazem cura para os ossos. Há caminho que parece reto ao homem, mas no final conduz à morte (Provérbios 16:24-25).

Muitas vezes, pode parecer correto expressar abertamente nossas queixas, permitindo, assim, que as emoções ocupem o centro do palco e sejam plenamente extravasadas. Imaginamos que, ao articular essas palavras, estamos nos libertando e informando outros; na verdade, porém, estamos ferindo as outras pessoas e a nós mesmas. E, sem que pudéssemos nos dar conta, nossos pés saíram do caminho da vida e se desviaram para as veredas da morte.

Não há como evitar a ligação entre raiva doentia e qualidade da saúde física. É fundamental deixar que Deus nos remova de qualquer emaranhado ou de qualquer armadilha na qual estejamos presas como resultado de acessos de raiva ou de palavras ofensivas do passado. Não importa quem as pronunciou;

não importa se foram atiradas por outros como mísseis contra nós. Temos de levar em conta, ainda, a força das insidiosas palavras autodestrutivas, que, com frequência, usamos contra nós mesmas. Alguns exemplos são: "Ninguém se importa comigo. No fim das contas, serei traída e ficarei sozinha"; "Sou gorda e feia, por que alguém se interessaria por mim?".

NÃO HÁ COMO EVITAR A LIGAÇÃO ENTRE RAIVA DOENTIA E A QUALIDADE DE NOSSA SAÚDE FÍSICA.

Essas palavras nos ferem e reforçam imagens e reações negativas em nossa vida. Constroem uma fortaleza de dor dentro da qual cada um de nossos pensamentos é processado. Oremos:

Pai celestial,

Dirijo-me ao Senhor em nome de Jesus. Sei que, por vezes, minhas palavras foram impensadas e prejudiciais não apenas para outras pessoas, mas também para mim mesma. Senhor, que minha língua se torne instrumento de cura! Que minhas palavras sejam agradáveis como um favo de mel e que tragam cura e restauração para a alma! Dê-me cura profunda, até meus ossos, e saúde e forças no cerne de minha estrutura e de meu sangue. Que qualquer podridão seja substituída por vigor! Que qualquer amargura seja removida de mim! Use-me para ser instrumento de cura na vida de outras pessoas. Permita que eu abençoe aqueles que foram amaldiçoados. Ensine-me a abençoar aqueles que me amaldiçoam. Enquanto guardo minha boca, peço que o Senhor reconstrua os muros de proteção ao redor de minha vida. Eu me alimentarei de sua bondade, pois, "quando as tuas palavras foram encontradas, eu as comi; elas são a minha alegria e o meu júbilo, pois pertenço a ti, SENHOR Deus dos Exércitos" (Jeremias 15:16).

13. ABRA MÃO

A esta altura, você já perdoou outras pessoas, confessou seus pecados e se apegou à verdade. Agora, vem o próximo passo: libertar-se. Eu sei que é bem mais difícil do que os outros passos, mas é um elemento essencial para sua saúde emocional, física e espiritual. Houve muitas ocasiões em que imaginei que deveria punir a mim mesma por meu comportamento anterior de permitir que Deus me purificasse. Eu queria que o peso da culpa me encurvasse e me moldasse, para que eu nunca mais cometesse determinada transgressão. Queria sentir o julgamento; em vez disso, porém, encontrava a misericórdia de Deus.

Na misericórdia de Deus

> Ou será que você despreza as riquezas da sua bondade, tolerância e paciência, não reconhecendo que a bondade de Deus o leva ao arrependimento? (Romanos 2:4)

A bondade e a gentileza de Deus nos conduzem ao arrependimento. É algo que vai contra tudo o que há de mais arraigado em nós. Queremos ser castigadas quando erramos. Queremos pagar; queremos nos sentir livres de culpa. Deus oferece sua misericórdia para que ela cubra o que deveria ser julgado. Não conseguimos compreender esse conceito. Nossa tendência é adotar a abordagem do tipo "olho por olho, dente por dente". Olhamos para nossa vergonha encolhida em um canto e esperamos que Jesus declare julgamento e nos rejeite. A lei e o acusador dos irmãos sempre pedem julgamento, enquanto o Espírito concede misericórdia. Quero que você leia com um novo olhar esta narrativa sobre uma mulher evidentemente culpada e como Jesus a tratou:

> Os mestres da lei e os fariseus trouxeram-lhe uma mulher surpreendida em adultério. Fizeram-na ficar em pé diante de todos e disseram a Jesus: "Mestre, esta mulher foi surpreendida em ato de adultério. Na Lei, Moisés nos ordena apedrejar tais mulheres. E o senhor, que diz?". Eles estavam usando essa pergunta como armadilha, a fim de terem uma base para acusá-lo (João 8:3-6).

Observe que o real interesse não era descobrir a verdade, mas apanhar Jesus em uma armadilha. Creio que essa é sempre a motivação da natureza carnal, bem como o objetivo do acusador dos irmãos. Ele está mais interessado em depreciar a obra e a eficácia de Cristo do que em nos desvalorizar. Os líderes religiosos não tinham nenhuma preocupação autêntica com a salvação dessa mulher. Quero lhe dizer que as vozes de acusação que você ouve não têm real interesse em você, sua família ou sua qualidade de vida; elas querem apenas anular a obra de Cristo em sua vida e colocar você debaixo do julgamento da lei. Observe que, a princípio, Jesus nem sequer respondeu aos líderes religiosos. Ele desviou o olhar para não ver a condenação e o ódio nos olhos deles.

> Mas Jesus inclinou-se e começou a escrever no chão com o dedo. Visto que continuavam a interrogá-lo, ele se levantou e

> lhes disse: "Se algum de vocês estiver sem pecado, seja o primeiro a atirar pedra nela". Inclinou-se novamente e continuou escrevendo no chão (João 8:6-8).

Não sabemos ao certo o que ele escreveu no chão. Ouvi alguns líderes dizerem que ele escreveu os nomes das mulheres com as quais esses mestres e fariseus haviam pecado. Outros dizem que escreveu os outros mandamentos para lembrar os líderes de seus pecados. Por algum motivo, esse detalhe não foi registrado, mas a resposta dada por Jesus a esses homens ficou gravada para sempre: "Se algum de vocês estiver sem pecado, seja o primeiro a atirar pedra nela". É evidente que eles se sentiram cheios de justiça própria ao arrastar a mulher pecadora pelas ruas e apresentá-la a Jesus, para que fosse julgada. Agora, a situação toda mudou. As vozes cheias de raiva se calaram quando seus corações passaram a condená-los. Começaram a temer que esse jovem *rabi* anunciasse os nomes para que todos ouvissem. Com medo de que ele fosse olhá-los nos olhos, foram embora, um de cada vez.

A BONDADE E A GENTILEZA DE DEUS NOS CONDUZEM AO ARREPENDIMENTO.

> Os que o ouviram foram saindo, um de cada vez, começando com os mais velhos. Jesus ficou só, com a mulher em pé diante dele (João 8:9).

Observe que os mais velhos saíram primeiro. Sei que sou muito mais misericordiosa hoje do que quando era mais jovem. Com frequência, as pessoas mais velhas aprenderam a não julgar os outros com tanta severidade ou rapidez. Elas têm mais anos de erros nas costas e abrandaram seu zelo por julgamento. Testemunharam a destruição que o ódio causa e os relacionamentos rompidos. Por fim, a mulher se viu a sós com Jesus. Seus acusadores se foram, mas ela ficou.

> Então Jesus pôs-se de pé e perguntou-lhe: "Mulher, onde estão eles? Ninguém a condenou?". "Ninguém, Senhor", disse ela. Declarou Jesus: "Eu também não a condeno. Agora vá e abandone sua vida de pecado" (João 8:10-11).

Quando todas as vozes de acusação e condenação se calaram, a mulher esperou diante do Senhor para ouvir o que ele tinha a dizer. Ele, então, perguntou onde estavam seus acusadores. Ela respondeu que não restava ninguém para acusá-la. Liberta da condenação dos homens, ela recebeu de Jesus a oferta da misericórdia de Deus: "Eu também não a condeno". Ele removeu de seus ombros o peso do pecado e da escravidão e, em seguida, exortou-a a deixar para trás suas transgressões. A instrução "Agora vá e abandone sua vida de pecado" é sempre antecedida de misericórdia e perdão, sem os quais é impossível nos livrarmos de um modo de vida caracterizado por raiva e fúria. Por fim, Jesus voltou a se dirigir à multidão:

COM FREQUÊNCIA, PESSOAS MAIS VELHAS APRENDERAM A NÃO JULGAR OUTROS COM MUITA SEVERIDADE OU RAPIDEZ.

> Falando novamente ao povo, Jesus disse: "Eu sou a luz do mundo. Quem me segue nunca andará em trevas, mas terá a luz da vida" (João 8:12).

A Luz de nosso Mundo

Jesus disse que ele é a Luz do Mundo. Foi uma declaração bastante ousada. Em seguida, ele convidou o povo a segui-lo, deixar para trás seus caminhos de escuridão e andar na luz da vida. Ao que parece, ainda havia alguns fariseus por perto.

Os fariseus, então, o desafiaram: "Você está testemunhando a respeito de si próprio. O seu testemunho não é válido!" (João 8:13). Foram procurá-lo para que ele julgasse a mulher e, depois, disseram que seu testemunho não era válido. Seu protesto mostra que não o procuraram em razão de quem ele era, mas com o propósito invejoso de desmascará-lo.

> Respondeu Jesus: "Ainda que eu mesmo testemunhe em meu favor, o meu testemunho é válido, pois sei de onde vim e para onde vou. Mas vocês não sabem de onde vim nem para onde vou" (João 8:14).

Jesus era a única pessoa na terra que sabia, verdadeiramente, de onde tinha vindo e para onde estava indo. Conhecia seu propósito e seu destino. Sabia que era Filho de seu Pai. Os fariseus que se haviam reunido ali imaginavam que fossem filhos de Abraão e descendentes de Moisés, mas, na verdade, eram motivados por seu pai, o diabo. Não conheciam o padrão do céu, mas apenas o padrão dos homens.

> Vocês julgam por padrões humanos; eu não julgo ninguém. Mesmo que eu julgue, as minhas decisões são verdadeiras, porque não estou sozinho. Eu estou com o Pai, que me enviou (João 8:15-16).

Jesus lhes conta um segredo: o julgamento não cabe a ele, mas ao Pai. Ele não havia acusado nem julgado; ao perdoar a mulher, ele a livrara de julgamento. A misericórdia havia colocado a mulher em liberdade. Debaixo da Lei de Moisés, ela deveria ter sido morta, mas Jesus sabia que, em breve, ele morreria como sacrifício pelos pecados dela.

Ainda hoje, Jesus não condena. Ele olha para nós e declara: "Vá e abandone sua vida de pecado". Tenho certeza de que a mulher adúltera se maravilhou com a revelação de perdão depois que seu pecado e sua vergonha foram evidenciados. Os fariseus e mestres da lei imaginaram que a haviam levado a um lugar de condenação, mas descobriram que a haviam colocado não diante de um juiz, mas diante da Verdade: "E conhecerão a verdade, e a verdade os libertará" (João 8:32).

"VÁ E ABANDONE SUA VIDA DE PECADO."

A mulher teve um encontro com a Verdade logo depois de ter um encontro desesperador com a lei. Aquilo que a lei não tinha poder para fazer, a Verdade fez. Graças à palavra de Jesus, a mulher viu-se imediatamente liberta de uma vida de pecado e culpa.

> Jesus respondeu: "Digo-lhes a verdade: Todo aquele que vive pecando é escravo do pecado. O escravo não tem lugar permanente na família, mas o filho pertence a ela para sempre. Portanto, se o Filho os libertar, vocês de fato serão livres" (João 8:34-36).

Jesus transformou em filha a mulher outrora escravizada e lhe deu um lugar permanente na família do Pai. Ela não encontraria mais sua identidade nos braços de homens, pois havia experimentado os braços do amor. Jesus se revelara como Aquele que perdoa pecados e liberta das trevas.

Liberte-se

Talvez você não tenha cometido adultério e sido desmascarada em público ao ser pega em flagrante, mas, com certeza, já ouviu um coro de acusadores. Já se sentiu desesperada em um tribunal de vergonha, cercada por aqueles que se apressaram em ressaltar seu pecado. Então, o Filho a libertou, e agora você é livre de fato. *De fato* significa "verdadeira e certamente". Você confessou sua transgressão e, agora, precisa sair do lugar de culpa, vergonha e acusação, deixá-lo para trás, abandonar a vida de pecado. Precisa deixar o tribunal humano, com toda a sua condenação, e caminhar na luz de Deus. Na maioria das vezes, sua batalha não será contra acusadores de carne e osso. Ela será travada em sua mente, e sua própria voz lançará acusações. Mas, se Deus diz que você não está condenada e que foi liberta, você deve andar nessa verdade.

Jamais nos sentiremos justas, pois em nós não há justiça que resista ao Deus santo. Não nos tornamos justiça de Deus por meio de nossas obras ou comportamentos, mas somente em Cristo.

> Mas agora se manifestou uma justiça que provém de Deus [...] justiça de Deus mediante a fé em Jesus Cristo para todos os que creem. Não há distinção, pois todos pecaram e estão destituídos da glória de Deus, sendo justificados gratuitamente por sua graça, por meio da redenção que há em Cristo Jesus (Romanos 3:21-24).

Não há pecado grande demais para o sangue de Jesus, que nos limpa e nos torna alvos como a neve. Ele perdoa o pecado e remove a mancha da culpa a fim de que não precisemos mais nos lembrar de nossas falhas do passado. Sempre nos saímos melhor quando paramos de olhar para as falhas e os erros do passado e levantamos o olhar para o Senhor: "Esqueçam o que se foi; não vivam no passado" (Isaías 43:18).

Aí estão a beleza e o mistério do novo nascimento. O dia de hoje não está mais atrelado ao dia de ontem. Temos a liberdade de caminhar de uma nova maneira, purificadas pela misericórdia que se renova a cada manhã. Muitas vezes, tememos a rejeição, tememos que nossos problemas sejam grandes demais ou que nossos pecados sejam terríveis demais. Mas, ainda hoje, Deus continua a nos atrair para ele e nos convida a baixar todas as nossas defesas e simplesmente crer.

> Não tenha medo; você não sofrerá vergonha. Não tema o constrangimento; você não será humilhada. Você esquecerá a vergonha de sua juventude e não se lembrará mais da humilhação de sua viuvez (Isaías 54:4).

Jesus não quer que temamos a humilhação e a vergonha; quer que o honremos, pois ele é santo, justo e verdadeiro. Nossa ira, mesmo quando voltada contra nós mesmas, não é capaz de produzir a justiça de Deus em nossa vida. Diante disso, de que adianta continuar a reter o perdão de si mesma? Que benefício há nisso? Nenhum. Quando não nos perdoamos, o resultado é o ódio de nós mesmas e a destruição. Com toda a humildade, liberte-se e renda-se agora à terna misericórdia de Deus. Nós temos sua promessa e podemos esperar que essa seja a resposta dele para nós: “Tu és bondoso e perdoador, Senhor, rico em graça para com todos os que te invocam” (Salmos 86:5). É hora de invocá-lo.

NÃO HÁ PECADO GRANDE DEMAIS PARA O SANGUE DE JESUS, QUE NOS LIMPA E NOS TORNA ALVOS COMO A NEVE.

Pai celestial,

Dirijo-me ao Senhor em nome de Jesus. Perdoe-me por eu me colocar no tribunal humano de vergonha e acusar a mim mesma de acordo com os padrões desse tribunal. Senhor, aceito sua misericórdia. Deixarei que ela triunfe em todas as áreas de julgamento em meu coração. Sairei desse lugar de culpa e ódio de mim mesma, me levantarei e abandonarei a vida de pecado. Não importa quanto eu me castigue, nada será suficiente para merecer aquilo que o Senhor me deu tão generosamente ao entregar sua vida. Lave-me novamente em seu sangue. Eu me perdoo pelos erros que cometi no passado. Confesso minha tendência de buscar justiça própria; deixo-a de lado agora e me apego à sua justiça. Neste momento, começo uma nova página de minha vida. Obrigada, Pai, por sua bondade e gentileza, que verdadeiramente me levaram ao arrependimento.

14. COLOQUE EM PRÁTICA

APRENDENDO A IRAR-SE SEM PECAR

> Meus amados irmãos, tenham isto em mente: Sejam todos prontos para ouvir, tardios para falar e tardios para irar-se, pois a ira do homem não produz a justiça de Deus (Tiago 1:19-20).

Que declaração profunda! A ira do homem não produz a justiça de Deus; no entanto, muitas vezes essa é a justificativa que apresentamos para nossa indignação. Injustiça de algum tipo foi cometida e nós queremos que seja corrigida. No entanto, a ira nunca é a solução para uma causa justa. Deus não usa *nossa* ira para cumprir seus propósitos. A verdade é que tentamos usar nossa ira para cumprir os nossos propósitos. Imaginamos, equivocadamente, que a ira nos protegeria, supriria nossas necessidades, nos guiaria e nos daria poder. Em vez disso, ela se voltou contra nós, nos atacou, roubou, desencaminhou e isolou.

Ande na verdade

Conhecemos a verdade, e chegou a hora de andarmos nela e sermos libertas. Peço a Deus que este capítulo a ajude a estruturar seu estudo da Palavra e lhe forneça aplicações práticas e pessoais. Resumi em seis passos algumas diretrizes que espero que sejam úteis:

1. Escolha não reagir com ira desmedida. Tome a decisão de exercitar a ira construtiva. Essa decisão precisa ser consciente. Você deve tomar a decisão, em seu coração e em sua mente, de buscar a mudança, de abandonar seus caminhos, condutas e hábitos do passado e deixar que a Palavra de Deus a transforme. Isso não é muito diferente da decisão de seguir Jesus. O primeiro passo é o arrependimento, ou seja, deixar um caminho para trás e trilhar outro. Os filhos de Israel receberam essa escolha: "Hoje invoco os céus e a terra como testemunhas contra vocês, de que coloquei diante de vocês a vida e a morte, a bênção e a maldição. Agora escolham a vida, para que vocês e os seus filhos vivam" (Deuteronômio 30:19).

A princípio, essa será uma decisão deliberada, quase mecânica, que você tomará diante de todas as situações com as quais costuma interagir com raiva ou que a aborrecem. Por exemplo, recentemente nossa família se mudou de Orlando para Colorado. Fazia quase vinte anos que eu não dirigia com neve. Sou nascida em Indiana e havia memorizado algumas reações apropriadas ao dirigir no gelo, mas me esquecera delas por falta de prática. No primeiro inverno em que tive de sair em condições climáticas adversas, perdi o controle do carro por um instante. Ele deslizou e girou. Sem pensar, eu ouvi: "Vire a direção no mesmo sentido que você está deslizando". Aquilo que eu havia aprendido muitos anos atrás veio à memória sem nenhum esforço da minha parte e eu consegui retomar o controle do carro.

2. Antes de reagir ao que lhe aconteceu, permita-se dar um passo para trás. Provérbios 29:20 adverte: "Você já viu alguém que se precipita no falar? Há mais esperança para o insensato do que para ele". Eu estudo as Escrituras, e aprendi que Deus não oferece muita esperança para os insensatos. Para algo ser eficaz, você precisa investigar os motivos que o movem. Quais aspectos dessa interação ou situação a aborreceram? É uma questão de controle? É uma questão de medo? É mágoa não resolvida? Você se sentiu ofendida? Muitas vezes, o motivo é óbvio e não há necessidade de investigar em profundidade; ainda assim, é preciso recompor-se antes de reagir. Por exemplo, eu não gosto quando um dos meus filhos fala comigo de modo desrespeitoso, mas não preciso buscar o motivo. Preciso, contudo, escolher com cuidado qual será minha reação. Se eu reagir com raiva e desrespeito, não serei um exemplo de piedade para eles. Apenas os levarei a se sentir justificados em dar respostas atravessadas. Tenho de reagir de uma forma que os ajude a perceber que seu comportamento não é aceitável; eles precisam entender *por que* não é aceitável e resolver essa questão. Muitas vezes, o comportamento nasce de maus hábitos. Se, contudo, minha reação tiver elementos mais profundos, preciso desacelerar e examiná-la com mais atenção.

3. Assuma a responsabilidade. Lembre-se de que responsabilidade é uma coisa boa. Não é algo a ser evitado, mas, sim, aceito. Responsabilidade nos dá poder, habilidade e a capacidade de responder da forma devida. Quando culpamos outras pessoas por nossas reações, reduzimo-nos à condição de escravas de seus caprichos ou de suas ações. Seja responsável e reconheça suas reações positivas e negativas. Em 1Pedro 5:6, lemos a seguinte exortação: "Portanto, humilhem-se debaixo da poderosa mão de Deus, para que ele os exalte no tempo devido". A humildade é parte essencial de assumir a responsabilidade.

Responsabilidade e confissão andam juntas. Como já vimos, confessar significa reconhecer algo, declarar humildemente a própria culpa e resistir à tentação perpétua de jogar a culpa nas outras pessoas. A humildade trata de nosso papel na situação sem se preocupar com a reação alheia. Também é uma rendição a Deus. Dizemos: "Deus, confio no Senhor. Sei que, se eu me humilhar, o Senhor me elevará acima dessa situação e me colocará em melhores condições".

4. Aprenda com seus erros. Na verdade, esse é um desdobramento natural da responsabilidade. Quando assumimos a responsabilidade, temos condições de usar nossos erros para crescer. Provérbios 24:16 nos dá ânimo: "Pois, ainda que o justo caia sete vezes, tornará a erguer-se, mas os ímpios são arrastados pela calamidade".

Os perversos escolhem não se levantar; permanecem em seu estado decaído. Seus erros não lhes proveem instrução; ao contrário, são sua derrocada. Em vez de aprenderem com seus erros, são enredados e vencidos por eles. O mesmo não acontece com os justos. Eles se humilham e ganham força em suas quedas.

A HUMILDADE É PARTE ESSENCIAL DE ASSUMIR RESPONSABILIDADE.

5. Perdoe a si mesma e perdoe as outras pessoas. Perdoe aqueles que a magoaram. Em Lucas 17:4, Jesus disse: "Se [seu irmão] pecar contra você sete vezes no dia, e sete vezes voltar a você e disser: 'Estou arrependido', perdoe-lhe". O perdão deve ser oferecido àqueles que se arrependem, mesmo que cometam a mesma ofensa sete vezes por dia. Não temos condições de julgá-los por terem repetido a transgressão. Acaso não fizemos a mesma coisa tantas vezes? Somos perdoadas assim como perdoamos. Quando não libertamos os outros por meio do perdão, temos dificuldade de perdoar a nós mesmas. Quando relevamos os erros dos outros, é mais fácil relevar nossos próprios erros. Mas e se os outros não se arrependerem? Ainda precisamos perdoá-los? É difícil orar: "Perdoa as nossas dívidas, assim como perdoamos aos nossos devedores" (Mateus 6:12) se, na verdade, não perdoamos aqueles que têm pendências conosco. O que eles nos devem talvez seja exatamente um pedido de perdão por alguma transgressão passada.

OS JUSTOS SE HUMILHAM E GANHAM FORÇA EM SUAS QUEDAS.

6. Saia do caminho e abra espaço para Deus. Quando a situação ainda parece perdida mesmo depois de você ter perdoado e feito o necessário para se reconciliar, é hora de recuar e repetir as palavras de Davi: "O Senhor julgue entre mim e ti. Vingue ele os males que tens feito contra mim, mas não levantarei a mão contra ti" (1Samuel 24:12).

Deus realizará o plano dele em nossa vida. Se imaginarmos que, em última análise, estamos no controle, teremos uma vida de frustração e ira. A raiva procura um alvo ou uma reparação pela injustiça cometida; a fúria e a cólera buscam vingança ou retribuição. No entanto, Deus não quer que entremos nesse território. A Palavra de Deus nos diz: "'A mim pertence a vingança; eu retribuirei'; e outra vez: 'O Senhor julgará o seu povo'" (Hebreus 10:30).

Deus quer que suas filhas sejam fervorosas e poderosas. Se nossa ira não for construtiva, se a voltarmos contra nós ou contra as outras pessoas ao redor, perderemos o fervor e ficaremos deprimidas ou oprimidas. Não encontraremos liberdade na rebelião, mas nos caminhos de Deus e em sua sabedoria. Encontraremos liberdade quando operarmos conforme suas instruções vivificadoras. Então, poderemos viver sem remorso, sem medo e sem arrastar as correntes de nosso passado.

NÃO ENCONTRAMOS LIBERDADE NA REBELIÃO, MAS NOS CAMINHOS DE DEUS E EM SUA SABEDORIA.

Guia para um novo começo

Essa é sua chance de ter uma vida livre de raiva e de ira destrutiva, de ser fervorosa e eficaz, compassiva e cuidadora, de reassumir o controle de suas emoções de ira e frustração. A seguir, você encontrará um guia com 21 dias de leituras bíblicas e orações para ajudá-la a andar nas verdades que aprendeu. Você pode usá-lo da forma que desejar. Talvez existam áreas de sua vida em que você deseja concentrar-se ou repensar por um período mais longo. Cada dia traz uma oração, uma oportunidade de fazer anotações e um estudo das Escrituras apresentado de forma fácil, aplicável e prática.

O guia foi planejado para ter início na segunda-feira. Seu dia começa com o "Momento da manhã", que abre com um texto bíblico para ajudá-la em seu processo de transformação. Há algumas considerações resumidas sobre a passagem, seguidas de uma oração. Depois, você anotará o plano de ação para o dia com base na verdade que aprendeu. O "Momento da noite" lhe dá a oportunidade de tomar nota de suas vitórias pessoais (triunfos do dia, bem como pecados pessoais, erros ou falhas e confissões). A "Lista de misericórdia" é para anotar o nome daqueles que a magoaram e a quem você está concedendo misericórdia. (Observação: uma vez que alguém for acrescentado à sua "Lista de misericórdia", não mais o remova.) Faça sua lista de ações para o dia seguinte na próxima seção e, em seguida, registre seus pensamentos e reflexões sobre o progresso de hoje. Alguns dias trazem uma seção final chamada "Aplicação", que apresenta exercícios para estimular a reflexão. Os "Dias do Senhor" (Dias 7, 14 e 21) lhe dão a oportunidade de recapitular as passagens bíblicas da semana e oferecem sugestões na seção "Traga para sua realidade".

O objetivo deste livro é a transformação, algo que só acontece quando tomamos nossa cruz e negamos a nós mesmas. Não estou lhe prometendo uma vida perfeita no fim dessas três semanas, mas, se você realmente ler e aplicar a Palavra de Deus, não será mais a mesma pessoa. Seu coração voltará a ser sensível às coisas do Pai.

Como acontece com qualquer coisa no reino, não se trata de quanto você lê a Bíblia, mas de quanto a pratica. A Palavra se concretiza em sua vida e, portanto, produz fruto. Não pule etapas. Não se trata de uma competição ou de uma conquista; trata-se de um processo. Abordamos algumas das passagens bíblicas em capítulos anteriores, mas vale a pena recapitulá-las. Oremos e comecemos essa jornada!

DIA 1

Momento da manhã

Cria em mim um coração puro, ó Deus, e renova dentro de mim um espírito estável. Não me expulses da tua presença, nem tires de mim o teu Santo Espírito (Salmos 51:10-11).

Nossa capacidade vem de Deus. Ele nos capacitou para sermos ministros de uma nova aliança, não da letra, mas do Espírito; pois a letra mata, mas o Espírito vivifica (2Coríntios 3:5-6).

Aprendizados

Essas passagens bíblicas deixam bem claro que precisamos da intervenção e da instrução do Espírito Santo a fim de andar nos caminhos de Deus. No salmo 51, Davi pediu um coração puro e suplicou para que permanecesse na presença de Deus, cheio do Espírito Santo. Em João 20, vemos Jesus conceder o Espírito Santo a seus discípulos. É impressionante que ele os tenha capacitado para que pudessem perdoar outras pessoas. Muitas vezes, não conseguimos perdoar sem a direção do Espírito de Deus. De acordo com 2Coríntios 3, é o Espírito Santo que nos capacita, pois o Espírito dá vida, mas a letra mata. Temos de convidar o Espírito Santo a iluminar cada texto das Escrituras que lemos, para que ele possa trazer-nos vida e transformação.

Pai celestial,

Dirijo-me ao Senhor no nome de seu precioso Filho, Jesus. Pai, o Senhor prometeu enviar o Consolador, o Conselheiro, o Espírito Santo, para me ensinar todas as coisas e me lembrar de tudo o que Senhor disse. Obrigada por essa dádiva preciosa; não estou sozinha quando estudo sua Palavra ou busco conhecer sua vontade. Abra meus olhos para que eu veja, meus ouvidos para que eu ouça e meu coração para que eu creia.

Oro neste momento conforme sua Palavra, pois estou convencida de que ela é sua vontade para a minha vida. Pai, crie em mim um coração puro e renove em meu íntimo um espírito estável. Não tire de mim seu precioso Espírito Santo e não me expulse de sua presença. Espírito Santo, recebo seu poder para perdoar aqueles que me ofenderam. Traga-os à memória neste instante. Que os versículos e as passagens das Escrituras sejam vivificadores! Assumo o compromisso de orar antes de ler e peço que eu veja o Espírito no texto, e não apenas a lei. Em nome de Jesus.

Hoje eu vou: ______________________________

____

____

Momento da noite

Vitórias: ______________________________

____

____

Confissões: ______________________________

____

____

Lista de misericórdia: ______________________________

____

____

Amanhã eu vou: ______________________________

____

____

Meus pensamentos e reflexões sobre o dia: ______________________________

____

DIA 2

Momento da manhã

O homem paciente dá prova de grande entendimento, mas o precipitado revela insensatez (Provérbios 14:29).

"Quando vocês ficarem irados, não pequem." Apaziguem a sua ira antes que o sol se ponha, e não deem lugar ao diabo (Efésios 4:26-27).

Aprendizados

Aqui o autor de Provérbios comparou o homem paciente, ou tardio para se irar, com quem tem grande entendimento, e o precipitado, ou aquele que se apressa em falar, com o insensato. Devemos ser lentas para falar, mas rápidas para resolver nossa ira. Como já vimos, uma das coisas que precisamos fazer para não pecar quando nos irarmos é não dormir com a ira. Paulo nos advertiu para resolver as questões de nosso coração e não deixar que o diabo ganhe espaço em nossa vida.

Pai celestial,

Dirijo-me ao Senhor em nome de Jesus. Conceda-me entendimento a fim de que eu possa ser lenta para me irar. Espírito Santo, detenha-me quando eu tentar retrucar apressadamente. Arrependo-me das ocasiões em que fui impulsiva e insensata. Lave-me e ajude-me a ir para a cama com o coração limpo diante do Senhor. Recuso-me a ir dormir com amargura e raiva, e assumo o compromisso de perdoar os outros e a mim mesma. Não ficarei na cama me martirizando. Não me deitarei com ódio de mim mesma. Peço que o Senhor me guarde durante as vigílias da noite e me livre do maligno.

Hoje eu vou: ____________________

____

____

Momento da noite

Vitórias: ____________________

____

Confissões: ____________________

____

Lista de misericórdia: ____________________

____

Amanhã eu vou: ____________________

____

Meus pensamentos e reflexões sobre o dia: ____________________

____

Aplicação

Quando eu quiser responder de forma impulsiva ou apressada, farei o seguinte (p. ex., contarei até dez, repetirei mentalmente uma passagem bíblica, permanecerei quieta):

____

____

____

Com quem costumo estar aborrecida quando vou me deitar para dormir?

____

____

Faça um esforço consciente para perdoar esses indivíduos (especialmente a si mesma), a fim de que possa aceitar a misericórdia de Deus pela manhã em vez de sofrer a ressaca da amargura.

DIA 3

Momento da manhã

Eu disse: Vigiarei a minha conduta e não pecarei em palavras; porei mordaça em minha boca enquanto os ímpios estiverem na minha presença (Salmos 39:1).

O tolo dá vazão à sua ira, mas o sábio domina-se (Provérbios 29:11).

Aprendizados

Davi certamente compreendia o que significava estar na presença dos ímpios. Por vezes, imagino que essa situação fosse mais clara em sua época. Davi era um rei com o coração de um jovem pastor de ovelhas. Em vez de lutar ou se defender, ele escolheu se amordaçar. Foi exatamente o que Jesus fez várias gerações depois. Permaneceu calado como um cordeiro diante de seus acusadores. O mesmo conceito se aplica a gracejos insensatos e piadas vulgares. Muitas vezes, porém, temos de nos amordaçar não quando estamos diante de nossos inimigos e dos perversos, mas ao interagir com os membros de nossa própria família. O texto de Provérbios observa que os tolos dão vazão à ira, mas os sábios se controlam.

Pai celestial,

Dirijo-me ao Senhor em nome de Jesus. Perdoe-me pelas ocasiões em que dei plena vazão à minha ira. Dê-me o poder de me controlar. Assumo o compromisso de vigiar minha conduta e colocar mordaça em minha boca quando estiver na presença de meus inimigos. Guardarei minha língua do pecado e não participarei de conversas ímpias.

Hoje eu vou: ______

______

______

Momento da noite

Vitórias: ______

______

Confissões: ______

______

Lista de misericórdia: ______

______

Amanhã eu vou: ______

______

Meus pensamentos e reflexões sobre o dia: ______

______

Aplicação:

Faça a seguinte oração e, em seguida, anote seus pensamentos no espaço abaixo.

> *Senhor, mostre-me em que aspectos tenho participado de impiedade. Confesso as ocasiões em que usei minha língua para pecar quando estava na companhia de incrédulos. Lave-me e ajude-me a usar minhas palavras para abençoar outros.*

______

______

______

______

______

______

______

DIA 1

Momento da manhã

A resposta calma desvia a fúria, mas a palavra ríspida desperta a ira. A língua dos sábios torna atraente o conhecimento, mas a boca dos tolos derrama insensatez (Provérbios 15:1-2).

Melhor é viver no deserto do que com uma mulher briguenta e amargurada (Provérbios 21:19).

Aprendizados

Não sou, de maneira alguma, uma esposa que se esquiva de falar com honestidade. (Pergunto-me se não exagero.) Aprendi, contudo, que, durante uma discussão com meu marido, com nossos filhos ou com qualquer outra pessoa, posso reduzir a pressão ao baixar o volume e o tom da minha voz. Rispidez só aumenta a confusão. Muitas vezes, somos ríspidas quando temos medo de não ser ouvidas. Nesses casos, em vez de falarmos menos, falamos mais, até a insensatez jorrar da nossa boca, dirigindo-se a quem está ao redor, de modo a nos identificar com a citação de Provérbios.

Pai celestial,

Dirijo-me ao Senhor em nome de Jesus. Mostre-me como ser gentil em minhas respostas. Fui ríspida no passado por medo de não ser ouvida, mas confiarei no Senhor e, com mansidão, usarei minhas palavras para acalmar as tempestades em vez de intensificá-las. Não permitirei mais que minha boca seja um gêiser; antes, ela será fonte de vida para que outros sejam revigorados, e não ensopados ou afogados. Senhor, perdoe-me pelas ocasiões em que fui uma mulher colérica e briguenta. Escolho ser contente, pacífica, gentil e mansa. Não lutarei mais contra a natureza que o Senhor me deu, mas me renderei ao meu lado mais suave, ciente de que essa não é uma conduta fraca, mas, sim, a melhor conduta.

Hoje eu vou: ____________________

Momento da noite

Vitórias: ____________________

Confissões: ____________________

Lista de misericórdia: ____________________

Amanhã eu vou: ____________________

Meus pensamentos e reflexões sobre o dia: ____________________

Aplicação:

Em que momento do passado recente respondi de forma ríspida e levei a pior?

____

Em que momento respondi com gentileza e acalmei a tempestade?

____

____

As palavras jorram da minha boca ou eu permito que elas fluam suavemente?

____

____

Tenho contentamento ou tenho sido contenciosa?

____

____

Em que áreas sou mais briguenta?

____

____

Estas são as áreas que estou disposta a colocar nas mãos de Deus:

____

____

Estes são meus motivos de gratidão:

____

____

____

____

DIA 5

Momento da manhã

Não se associe com quem vive de mau humor, nem ande em companhia de quem facilmente se ira; do contrário, você acabará imitando essa conduta e cairá em armadilha mortal (Provérbios 22:24-25).

O sábio é cauteloso e evita o mal, mas o tolo é impetuoso e irresponsável. Quem é irritadiço faz tolices, e o homem cheio de astúcias é odiado (Provérbios 14:16-17).

Aprendizados

Esses conselhos são sempre bons, mas são ainda melhores quando guardamos o coração com diligência. A ira e suas formas de expressão podem ser adquiridas ou transmitidas quando nos associamos a outros. Pessoas que se iram com facilidade sempre parecem ter bons motivos para fazê-lo. Estão sempre brigando por causa de alguma coisa. Se você não tiver cuidado, tomará para si a causa e a ofensa delas.

Pai celestial,

Dirijo-me ao Senhor em nome de Jesus. Mostre-me amigos ou colegas em minha vida que ficam exasperados com facilidade ou que são rápidos para se irar. Não quero aprender a conduta deles; quero aprender a conduta do Senhor. Caso eu esteja presa a esse tipo de relacionamento, tome a espada de sua Palavra, corte as amarras e liberte-me dessa armadilha. Quero temer somente o Senhor e mais ninguém; portanto, escolho honrar o Senhor ao me afastar do mal. Quero ser como uma criança, sem ardis ou subterfúgios. Quero ser maleável e me conformar à sua imagem. Escondida no Senhor, não tenho medo. Guarde-me da insensatez por meio do santo temor ao Senhor.

Hoje eu vou: ____________________

Momento da noite

Vitórias: ____________________

Confissões: ____________________

Lista de misericórdia: ____________________

Amanhã eu vou: ____________________

Meus pensamentos e reflexões sobre o dia: ____________________

Aplicação:

Tenho em minha vida colegas ou amigos que se irritam facilmente?

Quais tendências inconsequentes percebo em mim mesma?

DIA 6

Momento da manhã

Quem é cuidadoso no que fala evita muito sofrimento (Provérbios 21:23).

Com muita paciência pode-se convencer a autoridade, e a língua branda quebra até ossos (Provérbios 25:15).

Aprendizados

Quando tomamos cuidado com o que falamos, colhemos benefícios: somos protegidas de adversidade, aflições, dificuldades e grande sofrimento. Cuidar do que falamos é cuidar de nós mesmas. Por meio de paciência, calma e compostura, é possível influenciar os governantes em nossa vida. Palavras brandas podem quebrar até mesmo a mais sólida estrutura de qualquer um. E derretem toda dureza e toda rigidez.

Pai celestial,
Dirijo-me ao Senhor em nome de Jesus. Estou começando a perceber que serei uma mulher mais influente com palavras gentis do que com palavras duras. O Senhor prometeu que esses princípios se aplicam a governantes; sem dúvida, aplicam-se mais ainda a familiares, amigos e colegas de trabalho! Rendo-me à sua sabedoria e aos seus caminhos.

Hoje eu vou: ____________________

____

____

Momento da noite

Vitórias: ____
____

Confissões: ____
____

Lista de misericórdia: __________________________________
____

Amanhã eu vou: ____
____

Meus pensamentos e reflexões sobre o dia: _______________
____

Aplicação

Quais dificuldades as palavras duras criaram para mim no passado?

____
____
____

Como posso ser mais branda?

____
____
____

DIA 7
DIA DO SENHOR

Releia os textos bíblicos da semana e faça observações pessoais.

____

____

____

____

____

____

Traga para sua realidade

1. Deus exortou os filhos de Israel a escrever sua palavra nos batentes da porta de sua casa e em seu coração. Faça alguns cartazes e coloque-os em lugares de sua casa pelos quais você passa com frequência — não apenas para seu proveito, mas para o de outros também.
2. Tammy, uma amiga querida, colou cartazes em sua casa com a seguinte pergunta: "É algo que honra a Deus?". Ela tem um na porta do armário da cozinha e em outras áreas nas quais seus filhos passam mais tempo. Esses lembretes podem assumir várias formas, desde mensagens em uma lousa até uma almofada bordada. Você pode até fazer um estêncil com a Palavra de Deus em suas paredes. Meu filho imprimiu uma versão resumida de Filipenses 2:14-15 e colocou na porta da geladeira.
3. Outra ideia é escolher um versículo para que todos os membros da família o memorizem ao longo da semana (ou pelo tempo que for necessário). Coloque-o em vários

lugares e converse com frequência sobre suas aplicações práticas. No café da manhã, pergunte a seus filhos como podem colocá-lo em prática na escola, ou com amigos e membros da família; no jantar, fale novamente sobre o assunto. Repita esse procedimento até que o versículo esteja não apenas na mente, mas também no coração de todos. Apresente a instrução e a promessa. Certifique-se de enfatizar as promessas tanto quanto a correção.

4. Em sua busca por maior piedade, peça a ajuda de uma amiga. Abra seu coração e preste contas a ela em conversas e atos. Recomendo que você tenha alguém além de seu marido nessa área. A Bíblia exorta claramente as mulheres mais velhas a ensinar a esposa mais jovem a amar o marido e os filhos.

DIA 8

Momento da manhã

Descanse no Senhor e aguarde por ele com paciência; não se aborreça com o sucesso dos outros, nem com aqueles que maquinam o mal. Evite a ira e rejeite a fúria; não se irrite: isso só leva ao mal (Salmos 37:7-8).

Se alguém se considera religioso, mas não refreia a sua língua, engana-se a si mesmo. Sua religião não tem valor algum! (Tiago 1:26).

Aprendizados

É difícil descansar e nos aquietar quando percebemos injustiças. No entanto, Deus nos incentiva a não nos preocupar com o sucesso dos outros em seus próprios caminhos. São pessoas que desfrutam o sucesso de suas maquinações enquanto você espera pacientemente o plano de Deus. A preocupação nos conduz ao mal. A outra passagem bíblica diz que, ao refrearmos a língua, damos testemunho de que confiamos que Deus trabalhará na situação para nosso bem.

Pai celestial,

Dirijo-me ao Senhor em nome de Jesus. Sei que olhei para outras pessoas e me preocupei. Fiquei ansiosa porque imaginei que o Senhor não veria e que não seria feita justiça. Perdoe-me por me inquietar; levou-me apenas ao mal de julgar os outros e me comparar com eles. Também produziu descontentamento em minha vida. Encontrarei ânimo em sua Palavra e cantarei sua fidelidade.

Hoje eu vou: ____

____

____

Momento da noite

Vitórias: ____

____

Confissões: ____

____

Lista de misericórdia: _____________________________________

____

Amanhã eu vou: ____

____

Meus pensamentos e reflexões sobre o dia: __________________

____

Aplicação

Em que área sinto mais pressão para julgar? É uma área pela qual sou responsável em algum aspecto?

____

____

____

Abro mão das seguintes áreas em minha vida e alivio sua pressão:

____

____

____

DIA 9

Momento da manhã

Quanto ao mais, tenham todos o mesmo modo de pensar, sejam compassivos, amem-se fraternalmente, sejam misericordiosos e humildes. Não retribuam mal com mal nem insulto com insulto; pelo contrário, bendigam; pois para isso vocês foram chamados, para receberem bênção por herança. Pois, "quem quiser amar a vida e ver dias felizes, guarde a sua língua do mal e os seus lábios da falsidade" (1Pedro 3:8-10).

Aprendizados

Você está prestes a herdar algo. Viverá em harmonia e agirá com humildade e compaixão ao não retribuir mal com mal e insulto com insulto, e abençoará aqueles que a amaldiçoam. Temos a promessa de que somos chamadas para herdar uma bênção. Ela é resultado direto de guardar nossa língua e de nos manter afastadas das palavras falsas. Você foi insultada por alguém recentemente? É hora de abençoar quem a amaldiçoou.

Pai celestial,

Dirijo-me ao Senhor em nome de Jesus. Agradeço a oportunidade de herdar sua bênção. Mostre-me áreas do meu coração em que há falsidade. Mostre-me a quem paguei mal com mal. Escolho abençoar em vez de amaldiçoar. Pronunciarei vida em vez de morte sobre mim mesma e sobre as outras pessoas.

Hoje eu vou: ______________________________

____

____

Momento da noite

Vitórias: ______

Confissões: ______

Lista de misericórdia: ______

Amanhã eu vou: ______

Meus pensamentos e reflexões sobre o dia: ______

Aplicação

Qual foi o resultado quando escolhi pagar mal com mal?

______

De que maneira fui abençoada ao pagar mal com bem?

______

DIA 10

Momento da manhã

O homem irado provoca brigas, e o de gênio violento comete muitos pecados (Provérbios 29:22).

Não permita que a ira domine depressa o seu espírito, pois a ira se aloja no íntimo dos tolos (Eclesiastes 7:9).

Aprendizados

Pessoas iradas causam tumulto constante. Quando mexemos um alimento em uma panela, ele dá voltas e mais voltas. É um ciclo aparentemente interminável, e o alimento entra em nosso campo de visão e dele sai. Ofensas e problemas não resolvidos mantêm um perpétuo estado de transtorno. A pessoa furiosa, que sempre se enraivece, convive com muitas transgressões. A passagem de Eclesiastes nos adverte para que não nos indignemos com rapidez ou facilidade demais. A ira se aninha junto ao peito dos tolos. Tenho quatro filhos que se aninhavam junto ao meu peito de tempos em tempos, especialmente nas viagens de avião. Eu sabia muito bem quem estava no meu colo, perto de mim.

Pai celestial,

Dirijo-me ao Senhor em nome de Jesus. Não quero agitar aquilo que o Senhor deseja manter em repouso. Sei que foi exatamente o que minha raiva fez. Perdoe-me. Não quero que a ira se aninhe em meu peito. Além de ser desconfortável, é irritante e evidente para todos ao meu redor. Não serei tão apressada em minhas reações e respostas.

Hoje eu vou:

Momento da noite

Vitórias:

Confissões:

Lista de misericórdia:

Amanhã eu vou:

Meus pensamentos e reflexões sobre o dia:

Aplicação

Em que áreas me sinto constantemente agitada?

DIA 11

Momento da manhã

Nenhuma palavra torpe saia da boca de vocês, mas apenas a que for útil para edificar os outros, conforme a necessidade, para que conceda graça aos que a ouvem. Não entristeçam o Espírito Santo de Deus, com o qual vocês foram selados para o dia da redenção. Livrem-se de toda amargura, indignação e ira, gritaria e calúnia, bem como de toda maldade. Sejam bondosos e compassivos uns para com os outros, perdoando-se mutuamente, assim como Deus perdoou vocês em Cristo (Efésios 4:29-32).

Aprendizados

Essa é uma passagem e tanto. Observe que cabe a nós não permitir que palavras prejudiciais, tóxicas ou ofensivas passem por nossos lábios. Isso significa que é possível controlar o que dizemos; temos de escolher as palavras com cuidado, a fim de que tragam proveito e edificação às outras pessoas. Somos exortadas a beneficiar aqueles que ouvem nossas palavras. Elas exercem impacto. Têm poder para construir ou destruir, curar ou ferir, purificar ou envenenar. Além de influenciarmos aqueles que vemos, há Alguém sempre presente e que sempre ouve: o Espírito Santo. Ele se entristece com nossa falta de comedimento e de sabedoria. Ele é nosso selo para o dia da redenção; portanto, Paulo nos incentiva a deixar de lado tudo o que entristece o Espírito: amargura, indignação e ira, gritaria, calúnia e toda maldade. "Maldade" pode ser definida como "hostilidade ou inimizade". Entra em cena com sua parceira, a inveja. Esses são os frutos de problemas perigosos do coração.

Pai celestial,

Dirijo-me ao Senhor em nome de Jesus. Volto a me sujeitar à instrução para guardar minha boca. Sei que as meditações de meu coração muitas vezes também influenciam aquilo que eu digo. Torne as motivações de meu coração puras e aceitáveis aos seus olhos, Senhor. Dê-me sensibilidade para com aqueles que me cercam e para com seu Espírito Santo. Que minhas palavras tenham poder de cura, saúde e sabedoria! Que elas capacitem quem as ouve a servir ao Senhor e amá-lo de modo mais profundo e autêntico! Em obediência à sua Palavra, ponho de lado todos os frutos da maldade. Dê-me seus olhos e sua compaixão para perdoar, como o Senhor me perdoou tão bondosa e generosamente.

Hoje eu vou: ______________________________

____

____

Momento da noite

Vitórias: ______________________________

____

____

Confissões: ______________________________

____

Lista de misericórdia: ______________________________

____

Amanhã eu vou: ______________________________

____

Meus pensamentos e reflexões sobre o dia: ______________________________

____

____

Aplicação

Quais palavras salutares você pode dizer para combater as palavras doentias? Anote algumas bênçãos e pronuncie-as aos indivíduos apropriados.

DIA 12

Momento da manhã

O coração do sábio ensina a sua boca, e os seus lábios promovem a instrução. As palavras agradáveis são como um favo de mel, são doces para a alma e trazem cura para os ossos. Há caminho que parece reto ao homem, mas no final conduz à morte (Provérbios 16:23-25).

Melhor é o homem paciente do que o guerreiro, mais vale controlar o seu espírito do que conquistar uma cidade (Provérbios 16:32).

Aprendizados

Vemos confirmada aqui, mais uma vez, a ligação entre coração e boca. A relação é invisível, mas ambos se encontram entrelaçados. Os sábios permitem que seu coração (e não seus sentimentos, seus hábitos incorretos, emoções ou reações) determinem suas palavras e ações. Lábios que inspiram instrução e aprendizado ficam atentos para como suas palavras afetam as outras pessoas. Sua conversa conduz os outros à retidão. A segunda referência de Provérbios exalta a força do indivíduo paciente acima da força do guerreiro. Guerreiros têm reações extremamente rápidas, mas o indivíduo paciente tem mais controle e poder do que eles. Em seguida, o provérbio leva a comparação ainda mais longe e diz que a pessoa que controla seu espírito é superior ao guerreiro que conquista uma cidade. Para a maioria de nós, conquistar uma cidade parece muito mais impressionante do que governar o espírito, mas Deus tem outra perspectiva. Ele entende que as guerras travadas em nosso interior muitas vezes fazem os conflitos exteriores parecerem minúsculos.

Pai celestial,

Dirijo-me ao Senhor em nome de Jesus. Desejo que meu coração governe minha boca. Não entregarei mais as rédeas às minhas emoções. Espírito Santo, sujeito-me à sua preeminência em minha vida. Quero proferir suas palavras agradáveis, a fim de experimentar cura e proporcionar saúde e instrução àqueles que ouvirem minhas palavras e se alimentarem delas. Mostre-me claramente a importância das palavras. Sei que elas nos penetram como nada mais é capaz de fazer. Quero inspirar instrução e piedade em minha vida, bem como na vida de outras pessoas. Abandono o caminho que me parece correto e volto-me para seu caminho, o caminho que conduz à vida. Permita que eu exemplifique a força que há em controlar meu espírito. Quero ser poderosa aos olhos de Deus, e não aos olhos das pessoas.

Hoje eu vou: ____________________

____

____

Momento da noite

Vitórias: ____________________

____

____

Confissões: ____________________

____

Lista de misericórdia: ____________________

____

____

Amanhã eu vou: ____

____

Meus pensamentos e reflexões sobre o dia: ___________________

____

Aplicação

Faça esta oração.

> *Pai, mostre-me quem precisa de palavras saudáveis.*

DIA 13

Momento da manhã

Tenham uma mesma atitude uns para com os outros. Não sejam orgulhosos, mas estejam dispostos a associar-se a pessoas de posição inferior. Não sejam sábios aos seus próprios olhos. Não retribuam a ninguém mal por mal. Procurem fazer o que é correto aos olhos de todos. Façam todo o possível para viver em paz com todos. Amados, nunca procurem vingar-se, mas deixem com Deus a ira, pois está escrito: "Minha é a vingança; eu retribuirei", diz o Senhor (Romanos 12:16-19).

Aprendizados

Viver em harmonia é viver de forma compatível com as outras pessoas, em sintonia e amizade. Devemos pôr de lado quaisquer supostas distinções e ter comunhão com os de condição humilde. Há uma advertência sobre presunção, ou seja, admiração própria ou arrogância, uma veneração própria. Devemos lembrar que, em Cristo, todos são chamados a adotar uns para com os outros a natureza de servos. Quando nos despojamos da arrogância e do orgulho, não pagamos o mal com mal, mas oferecemos a outra face. Somos exortadas a nos esforçar grandemente para fazer o que é correto para com as outras pessoas e viver em paz com *todos*. Isso significa que não buscaremos vingança, mas, com fé e a confiança de uma criança, daremos espaço para a justiça de Deus. Somente ele conhece todas as facetas de uma situação; ele é fiel e sempre verdadeiro.

Pai celestial,

Dirijo-me ao Senhor em nome de Jesus. Mostre-me como ser amiga daqueles que o Senhor colocar em meu caminho. Abra meus olhos para todo e qualquer preconceito que eu tenha escondido em meu coração. Dê-me a revelação de uma serva em palavras e ações. Não pertenço a mim mesma; o Senhor tem minha vida em suas mãos. Eu confio que ele me protegerá. Não pagarei mal com mal, pois o Senhor me deu o bem quando eu merecia o mal. Ponho de lado minha armadura inadequada de orgulho e arrogância. Não quero ser pedra de tropeço para ninguém. Espírito Santo, guarde meus passos a fim de que eu não peque contra o Senhor. Ponho de lado o jugo de orgulho e medo, e me revisto do manto de humildade e fé em sua bondade.

Hoje eu vou: ______________________________

____

____

Momento da noite

Vitórias: ______________________________

____

Confissões: ______________________________

____

Lista de misericórdia: ______________________________

____

Amanhã eu vou: ______________________________

____

Meus pensamentos e reflexões sobre o dia: ______________________________

____

____

Aplicação

Abro mão da vingança em relação a ____________________________

____

____

e transfiro essa(s) pessoa(s) para minha Lista de misericórdia.

Faça esta oração.

Pai, revele áreas de preconceito em minha vida.

DIA 14
DIA DO SENHOR

Releia os textos bíblicos da semana e faça observações pessoais.

____

____

____

____

____

____

Traga para sua realidade

1. Comece um grupo de oração para mães, esposas ou amigas. Torne-o um lugar seguro em que cada pessoa se sinta à vontade para expressar, de modo franco e honesto, seus sentimentos e suas imperfeições. Ore por outras pessoas, para que você possa ser curada.
2. Faça caminhadas ouvindo músicas de louvor e adoração ou outras músicas cristãs que elevem seu espírito, aproximando-a da presença de Deus.
3. Liberte-se da mentira da perfeição. Identifique o que é verdadeiramente importante para você e renuncie às outras coisas. Essa escolha reduzirá a pressão em diversas áreas de sua vida das quais você talvez nem tenha consciência.

DIA 15

Momento da manhã

A minha alma ficará satisfeita como de rico banquete; com lábios jubilosos a minha boca te louvará. Quando me deito lembro-me de ti; penso em ti durante as vigílias da noite. Porque és a minha ajuda, canto de alegria à sombra das tuas asas. A minha alma apega-se a ti; a tua mão direita me sustém (Salmos 63:5-8).

Ele o cobrirá com as suas penas, e sob as suas asas você encontrará refúgio; a fidelidade dele será o seu escudo protetor (Salmos 91:4).

Aprendizados

Pense no que você sente depois de participar de um banquete em que experimentou uma grande variedade de alimentos deliciosos e finos, mas não exagerou. Cada alimento foi apresentado de forma esteticamente agradável, e você desfrutou apenas o suficiente, sem excesso. Você se sente satisfeita e entra em um estado quase idílico de relaxamento e contentamento. Somos convidadas a provar e ver que o Senhor é bom. Em vez de ir se deitar cheia de raiva ou frustração com os acontecimentos do dia, a alma é convidada a experimentar a sobremesa. Somos exortadas a nos deitar, pensar em nosso Pai e nos aconchegar debaixo de suas asas de proteção. Temos aqui a imagem de uma ave forte, com seus filhotes abrigados debaixo da confortável e quente proteção de suas asas. Separadas do mundo durante a noite, temos esse abrigo de todas as tempestades e inimigos. Nesse ambiente, podemos cantar sobre o auxílio e a proteção do Senhor em nossa vida. Cada dia pode ser uma celebração dele.

O sono é um estado misterioso. É o momento em que nos encontramos verdadeiramente mais vulneráveis. Perdemos a consciência e, por algumas horas, passamos a outro lugar e a outro tempo. As crianças costumam ter o sono mais profundo que os adultos. Contentes e despreocupadas, elas trocam as atividades do dia pela rendição da noite. Na vida adulta, nem sempre o sono é repousante como era na infância. Muitas vezes, levamos as atividades do dia para a cama conosco. Lutamos com preocupações e medos até o amanhecer e, com frequência, acordamos mais cansadas do que quando fomos nos deitar. O sono não nos restaura nem nos satisfaz; deixa-nos pesadas e entorpecidas. O sono é extremamente importante para nosso bem-estar emocional e físico. Sem a quantidade apropriada de descanso, temos uma grande dificuldade de realizar nossas atividades. Eu nunca dormia bem quando me entregava à autopunição antes de ir para a cama. Portanto, quando estamos na cama, devemos parar de olhar para nós mesmas e voltar nosso foco para o Senhor. Ele nos manterá em segurança enquanto confiamos nele e descansamos durante a noite.

Pai celestial,

Dirijo-me ao Senhor em nome de Jesus. Ao me deitar para descansar, ajude-me a desfrutar sua fidelidade. Se eu acordar durante a noite, não permita que as preocupações do dia tomem conta de mim; quero que as meditações sobre o Senhor me cubram com agradável maciez. Aproprio-me de suas promessas nas vigílias da noite. Renuncio ao medo e apego-me ao Senhor como uma criança se apega à sua mãe. Transforme meu sono para que deixe de ser tumulto irrequieto e se torne descanso revigorante. Confio no Senhor e em sua proteção, e me recuso a me preocupar com o dia de amanhã.

Hoje eu vou:

Momento da noite

Vitórias:

Confissões:

Lista de misericórdia:

Amanhã eu vou:

Meus pensamentos e reflexões sobre o dia:

Aplicação

Anote um atributo de Deus. Escolha cânticos de louvor, cante-os durante o dia e alegre-se com esse atributo do Pai.

DIA 16

Momento da manhã

Misericórdia, ó Deus; misericórdia, pois em ti a minha alma se refugia. Eu me refugiarei à sombra das tuas asas, até que passe o perigo (Salmos 57:1).

Aprendizados

Muita gente se empolga com a proteção dos anjos, mas você sabia que, nesse versículo, Davi diz que encontra seu refúgio debaixo das asas de Deus? Lutamos contra a ira quando ainda não desenvolvemos confiança em Deus. Muito tempo atrás, aprendi que não sou capaz de proteger a mim mesmo; só Deus pode fazê-lo. Devo correr para ele. Quando estiver frustrada, quando for falsamente acusada ou quando outras pessoas simplesmente mentirem a seu respeito, busque refúgio debaixo das asas de Deus. Não permita que o inimigo a convença de que você deve se defender ou se proteger; isso é impossível. Deus nos convida a nos esconder nele até que passem as tempestades da vida. Essa proteção é fornecida não por algum ato que nos confere mérito, mas porque *ele* é fiel mesmo quando somos infiéis. Ele é misericordioso e, portanto, devemos buscá-lo com a mesma atitude. A raiva não pode permanecer à sombra de suas asas; ali não há lugar para ela. A raiva nunca é um refúgio, embora ela conte mentiras e diga que é. Precisa ser colocada de lado a fim de que possamos entrar na presença de Deus.

Pai celestial,

Dirijo-me ao Senhor em nome de Jesus. Permita que seu Santo Espírito grave a imagem de sua proteção no fundo de minha alma.

Quero me refugiar no Senhor durante as calamidades da vida. Uma vez que preciso de misericórdia, ofereço misericórdia antes de entrar no refúgio de sua presença. Não confiarei tolamente em mim mesma nem em outras pessoas, mas permitirei que minha alma confie somente no Senhor.

Hoje eu vou: ______

Momento da noite

Vitórias: ______

Confissões: ______

Lista de misericórdia: ______

Amanhã eu vou: ______

Meus pensamentos e reflexões sobre o dia: ______

Aplicação

Em quais áreas desejo a proteção de Deus?

DIA 17

Momento da manhã

Quando são muitas as palavras, o pecado está presente, mas quem controla a língua é sensato. A língua dos justos é prata escolhida, mas o coração dos ímpios quase não tem valor. As palavras dos justos dão sustento a muitos, mas os insensatos morrem por falta de juízo (Provérbios 10:19-21).

Não seja precipitado de lábios, nem apressado de coração para fazer promessas diante de Deus. Deus está nos céus, e você está na terra, por isso, fale pouco (Eclesiastes 5:2).

Aprendizados

Já aconteceu de você ter uma conversa por telefone ou pessoalmente que começou bem, mas depois desandou? Pergunto-me se o tempo é um fator. Muitas vezes, aquilo que começou de forma piedosa se deteriora com a passagem do tempo ou das palavras. Para algumas de nós, é simplesmente uma questão de passar menos tempo ao telefone. Quando não vemos com quem estamos conversando, ou de quem estamos falando, muitas vezes deixamos de cuidar de nossas palavras. É melhor mudar de assunto com frequência do que remoer um tema por tempo demais e dizer coisas das quais vamos nos arrepender depois. Prata escolhida não é comum; é refinada pelo fogo. Quando permitimos que o fogo da Palavra de Deus purifique nossas conversas, vemos que as impurezas e as indiscrições são removidas delas. Recebemos a exortação para não ser precipitadas ao falar, para pesar o que vamos dizer antes que escape por nossos lábios e tenha de ser digerido por outras pessoas. Uma boca apressada em falar representa um coração precipitado. Quando nos colocamos diante de Deus, devemos ser parcimoniosas com nossas palavras. Ele está no céu, enquanto nós somos apenas habitantes aqui da terra. Parte fundamental do devido temor ou respeito por Deus consiste em saber quando falar e quando ouvir. Aprendemos quando ouvimos, e não quando falamos; portanto, devemos nos aquietar e saber que ele é Deus.

Pai celestial,
Dirijo-me ao Senhor em nome de Jesus. Ajude-me a medir e pesar minhas palavras. Que cada uma delas seja eficaz e poderosa, e não vã e inútil! Espírito Santo, revele os relacionamentos em que caio nessa armadilha e mostre-me como ser exemplo de piedade, e não de insensatez. Quero que minhas palavras inspirem, instruam e abençoem as outras pessoas. Crie em mim maior consciência e percepção de valor em minhas conversas.

Hoje eu vou: ______________________________

____

____

Momento da noite

Vitórias: ______________________________

____

Confissões: ______________________________

____

Lista de misericórdia: ______________________________

____

Amanhã eu vou: ______________________________

____

____

Meus pensamentos e reflexões sobre o dia: ____________________

____

Aplicação

Em que situações e com quem eu falo demais?

____

____

____

____

____

Quais relacionamentos são motivo de apreensão para mim?

____

____

____

____

____

DIA 18

Momento da manhã

A conversa do tolo é a sua desgraça, e seus lábios são uma armadilha para a sua alma. As palavras do caluniador são como petiscos deliciosos; descem até o íntimo do homem (Provérbios 18:7-8).

O homem que não tem juízo ridiculariza o seu próximo, mas o que tem entendimento refreia a língua. Quem muito fala trai a confidência, mas quem merece confiança guarda o segredo (Provérbios 11:12-13).

Aprendizados

Já falamos bastante sobre a pessoa insensata e sua boca. Agora, voltemos a atenção para as palavras de quem faz fofoca. Fofocas são descritas como "petiscos deliciosos", agradáveis ao paladar, mas prejudiciais à alma. Enquanto a pessoa fofoqueira fala, temos vontade de ouvir mais. Convencemo-nos de que somos capazes de lidar com o que estamos ouvindo; afinal, somos maduras e sábias, e permaneceremos imparciais. Não percebemos, contudo, que fomos envenenadas. Da próxima vez que virmos a pessoa em questão ou apenas ouvirmos seu nome, sentiremos pressão para julgar não suas ações, mas suas motivações. Qual é a relação disso com a ira pessoal? Raiva e fofoca têm uma raiz em comum: o medo. Recorremos a elas em uma tentativa inútil de nos proteger (digo inútil porque só Deus pode verdadeiramente nos proteger). A fofoca é quase sempre uma quebra de confiança. Uma pessoa é traída em favor da segurança, do cargo ou da influência de outra. Seu coração foi sensibilizado e, portanto, quando você falar de outros ou alguém lhe transmitir informação a respeito deles, você deve sentir desconforto. Se o inimigo souber que você está guardando com zelo o que sai de sua boca, é possível que ele tente fazê-la tropeçar com o que entra por seus ouvidos. A Bíblia diz que o ímpio dá atenção à fofoca (Provérbios 17:4). É preciso guardar seu coração com toda diligência, pois ele é a fonte de sua vida em Cristo.

Pai celestial,

Dirijo-me ao Senhor em nome de Jesus. Mostre-me como guardar meus ouvidos, bem como meu coração. Separe as coisas preciosas das coisas vis em minha vida, para que eu não peque contra o Senhor em minha forma de conversar. Coloque um guarda, também, junto a meus ouvidos, de modo a me ungir com a sabedoria necessária para falar nessas situações à medida que forem surgindo. Não permitirei que ninguém fale mal daqueles que são próximos de mim. Cobrirei essas pessoas com orações, com amor e com a sua Palavra.

Hoje eu vou: ____________________

____

____

Momento da noite

Vitórias: ____________________

____

Confissões: ____________________

____

____

Lista de misericórdia: ____________________

____

____

Amanhã eu vou: ______________________________

Meus pensamentos e reflexões sobre o dia: ____________

DIA 19

Momento da manhã

Quem guarda a sua boca guarda a sua vida, mas quem fala demais acaba se arruinando (Provérbios 13:3).

Quem ama a sinceridade de coração e se expressa com elegância será amigo do rei (Provérbios 22:11).

Do fruto da boca enche-se o estômago do homem; o produto dos lábios o satisfaz. A língua tem poder sobre a vida e sobre a morte; os que gostam de usá-la comerão do seu fruto (Provérbios 18:20-21).

Aprendizados

Não há como escapar da ligação entre a ira e a boca, bem como entre os lábios e o coração. O conteúdo de nosso coração, aquilo de que ele está cheio, é revelado nas palavras que saem de nossos lábios. A meu ver, Provérbios 13 apresenta a essência desse conceito sábio. Em nossa cultura, o poder das palavras foi minimizado. Hoje em dia, dar nossa palavra a respeito de algo não quer dizer nada. Para lidar com esse problema, temos contratos dos quais advogados inocentam seus clientes mediante o pagamento de verdadeiras fortunas. Deus não nos oferece um contrato, mas uma aliança de promessas baseadas em seu nome e em sua Palavra. Ele não é homem para mentir. É testemunha fiel e verdadeira. Céus e terra passarão, mas sua Palavra permanecerá para sempre. Se honrarmos sua Palavra com obediência e fé, ele nos honrará com transformação. Dizem que somos aquilo que comemos. Refestele-se na verdade das palavras de

Deus e você não será mais a mesma; elas a transformarão em amiga do Rei.

Pai celestial,

Dirijo-me ao Senhor em nome de Jesus. Obrigada por preparar um banquete de bondade e misericórdia para mim e me convidar para vir e comer tranquilamente aquilo que sua mão proveu. Que eu possa desfrutar as coisas boas e agradáveis, e não as prejudiciais e destrutivas. Pai, perdoe-me e lave-me de toda a iniquidade que eu semeei ao falar e agir com ira. De todo o meu coração, meu maior desejo é ser alguém que alegre seu coração. Quero ser sua amiga fiel, pois o Senhor sempre foi fiel a mim. Rejeito o fruto da morte e escolho seus caminhos de vida.

Hoje eu vou: ______________________________

____

____

Momento da noite

Vitórias: ______________________________

____

Confissões: ______________________________

____

Lista de misericórdia: ______________________________

____

Amanhã eu vou: ______________________________

____

Meus pensamentos e reflexões sobre o dia: ______________________________

____

____

Aplicação

Que tipo de amigos eu quero?

Que tipo de amiga eu sou?

DIA 20

Momento da manhã

Pois é Deus quem efetua em vocês tanto o querer quanto o realizar, de acordo com a boa vontade dele. *Façam tudo sem queixas nem discussões, para que venham a tornar-se puros e irrepreensíveis, filhos de Deus* inculpáveis no meio de uma geração corrompida e depravada, na qual vocês brilham como estrelas no universo, retendo firmemente a palavra da vida. Assim, no dia de Cristo eu me orgulharei de não ter corrido nem me esforçado inutilmente (Filipenses 2:13-16, grifo da autora).

Àquele que é poderoso para impedi-los de cair e para apresentá-los diante da sua glória sem mácula e com grande alegria, ao único Deus, nosso Salvador, sejam glória, majestade, poder e autoridade, mediante Jesus Cristo, nosso Senhor, antes de todos os tempos, agora e para todo o sempre! Amém (Judas 24-25).

Aprendizados

Quando não nos queixamos nem discutimos, temos a oportunidade de experimentar uma bela transformação. Embora este mundo seja cheio de corrupção e perversidade, as trevas não podem encobrir nem vencer nossa luz. Olhe para as estrelas do Universo, que pontuam a escuridão do céu com uma beleza tão clara que, em uma noite estrelada, não notamos as trevas, mas apenas os pequenos faróis de esperança que a traspassam. Quando Deus olha para essa criação de trevas, ele vê a luz de seus filhos. Segure bem alto a luz da Palavra de Deus e deixe que ela brilhe como farol de esperança e verdade para as próximas gerações.

Esses dois versículos de Judas estão entre os favoritos de John e os meus. Deus é verdadeiramente fiel em nos guardar para que não caiamos. Ele nos sustentará por meio de sua Palavra de verdade e nos apresentará com grande alegria como filhos irrepreensíveis. Não há nenhuma referência a vergonha. Deus não está à procura de motivos para nos rejeitar ou condenar. Eles já existiam; por isso ele enviou seu Filho. Sua promessa permanece hoje e para sempre! É para os que estão próximos e distantes. Estremeça com a alegria que essa promessa traz, agarre-a com seu coração e você nunca mais será a mesma.

Pai celestial,

Dirijo-me ao Senhor em nome de Jesus. Olharei para as estrelas e acreditarei que o Senhor não vê minha escuridão, mas, sim, a sua luz em mim. Sua Palavra iluminará as áreas de escuridão; ela é lâmpada para meu caminho. Abandono a insensatez de minhas próprias ideias e a luz de meu próprio raciocínio. Creio que este livro e estas verdades entraram em minha vida para que eu possa caminhar em sua luz. Agradeço ao Senhor por esse tempo de transformação. Que seja glorificado em minha vida! Que, em todos os relacionamentos e em tudo o que faço, as pessoas ao meu redor possam ver sua obra em minha vida!

Hoje eu vou: ______________________________

____

____

Momento da noite

Vitórias: ______________________________

____

Confissões: ____

Lista de misericórdia: ______________________________________

Amanhã eu vou: ____

Meus pensamentos e reflexões sobre o dia: ___________________

Aplicação

Que coisas boas vejo em mim mesma?

Em que aspectos eu cresci?

DIA 21
DIA DO SENHOR

Releia os textos bíblicos da semana e faça observações pessoais.

____

____

____

____

____

____

Traga para sua realidade

1. Descanse o suficiente; respire ar puro e passe algum tempo ao sol. Celebre a criação de Deus e seja agradecida por ela.
2. Faça jantares à luz de velas com seus filhos. Isso tem efeito calmante para eles tanto quanto para você.
3. Livre-se de coisas que produzem descontentamento em sua vida. Jogue fora catálogos de compras dos quais você não pretende encomendar nada. Adquira apenas revistas que a inspirem e que não a deixem deprimida. Seja grata por aquilo que você tem e não cobice o que não tem.

EPÍLOGO

A esta altura, se você leu todo o texto com uma atitude receptiva e passou pelas três semanas de renovação da mente, você não é a mesma pessoa que começou a ler este livro. Quando somos expostas à Palavra de Deus em um estudo tão concentrado, as mudanças são inevitáveis. Evidentemente, elas começam em nosso interior e, aos poucos, vão-se manifestando exteriormente. Sei que essas interações com a verdade causam desconforto. Muitas vezes, grandes mudanças provocam grande dor. Minhas interações com a verdade foram dolorosas, mas não foi uma dor sem propósito. Encontrei ânimo no fato de que Deus ensina e disciplina seus filhos com todo o cuidado.

> Vocês se esqueceram da palavra de ânimo que ele lhes dirige como a filhos: "Meu filho, não despreze a disciplina do Senhor, nem se magoe com a sua repreensão, pois o Senhor disciplina a quem ama, e castiga todo aquele a quem aceita como filho". Suportem as dificuldades, recebendo-as como disciplina; Deus os trata como filhos. Pois, qual o filho que não é disciplinado por seu pai? (Hebreus 12:5-7)

Você deu alguns passos destemidos e corajosos. Ousou encarar uma região de escuridão em sua vida. Abriu uma fresta na porta de seu coração para que a luz da Palavra de Deus revelasse e curasse áreas de ira não resolvida. Muitos casamentos, relacionamentos e famílias se dividem e se desintegram por causa de ira não resolvida. Peço a Deus que ele honre os passos que você deu e que seu passado fique, de uma vez por todas, para trás. Assuma o compromisso de nunca mais voltar a essas ruínas. Tome a seguinte promessa de Deus e guarde-a em seu coração:

> Àquele que é poderoso para impedi-los de cair e para apresentá-los diante da sua glória sem mácula e com grande alegria, ao único Deus, nosso Salvador, sejam glória, majestade, poder e autoridade, mediante Jesus Cristo, nosso Senhor, antes de todos os tempos, agora e para todo o sempre! Amém (Judas 24-25).

Jamais seremos perfeitas, mas Deus é perfeito. Mesmo quando somos infiéis, ele é fiel. Quando somos fracas, ele é forte. Trabalhe fortalecida pela graça capacitadora de Deus e não volte à fraqueza de suas próprias forças.

Este livro foi impresso em 2025 pela Ipsis,
para a Thomas Nelson Brasil.
A fonte utlizada é Noto Serif 9/14,5.
O papel do miolo é pólen bold 70g/m².